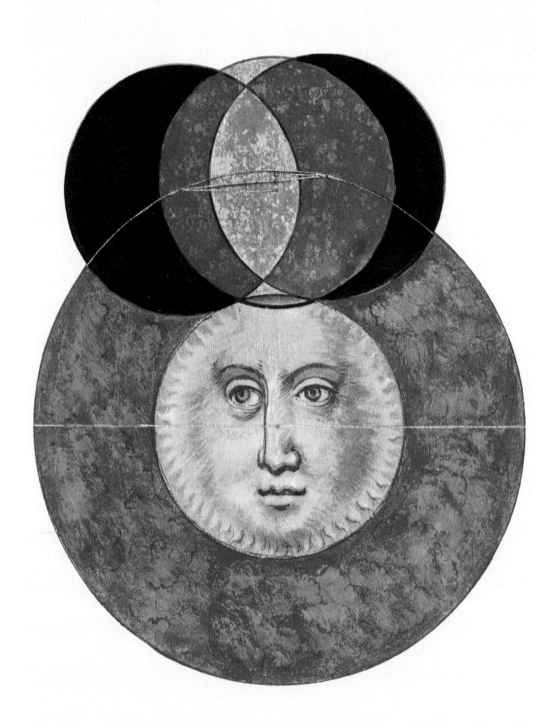

La Danse cosmique

*Habiter et
représenter
les méandres
de l'univers*

Stephen
Ellcock

Sommaire

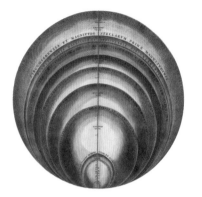

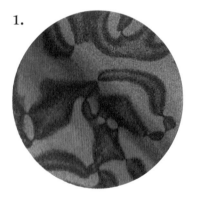

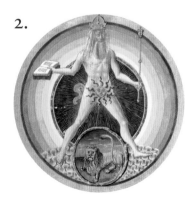

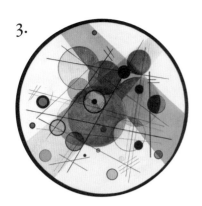

Proportions divines [106]

Harmonie. Géométrie sacrée. La musique des sphères. La séquence Fibonacci. Paléontologie. Le ratio d'or. Formes platoniciennes. Motif. Symétrie universelle. Géométrie. Perspective. Proportion. Architecture. Ensembles de Mandelbrot. Art et science. Le motif du quinconce. Tessellations. Rubans de Möbius. Objets et architectures impossibles – Escher, Boullée, Buckminster Fuller.

La quête du nirvana [164]

La Terre vivante. Forces de création et de destruction. Alchimie. Les propriétés des bêtes, les bestiaires, la hiérarchie des bêtes. Visions de l'Éden, le Paradis terrestre, le Diorama de la vie. Le Paradis, l'Enfer et l'Au-delà. Anges et démons, dieux et déesses, immortels, êtres divins. Messagers célestes. Êtres surnaturels. Âmes éclairées. Anges déchus. Puissances des ténèbres. Vide spirituel.

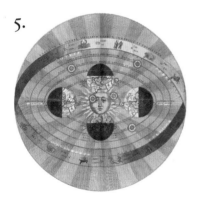

Et ainsi de suite jusqu'à l'infini [208]

Le Macrocosme. Métaphysique. Signes et merveilles. Cartographie de l'univers. Exploration du cosmos. L'univers à la dérive. La roue céleste. Le Zodiaque. Calendriers terrestre et sidéral. Mesure du temps. Modèles de l'infini. Visions de l'éternité. Cosmologie. Cartographie céleste. Mouvement perpétuel.

Préface —
Retrouver une perspective

Une absence de perspective peut avoir des conséquences dévastatrices. Cela peut conduire par exemple à une situation dans laquelle l'espèce dominante de notre planète, située aux confins de l'univers – et la seule dont on sait avec certitude qu'elle est habitée –, peut se laisser aller à ses instincts les plus sombres, dangereux et destructeurs, plongeant le monde dans le chaos, menaçant la survie même de son unique habitat ainsi que celle de toute forme de vie ayant le malheur de partager le même ciel et de respirer le même air qu'elle.

Une absence de perspective peut également se révéler incroyablement destructrice à un niveau microcosmique et personnel. Elle peut, par exemple, conduire un adulte au bout du rouleau à se mettre à cafouiller, à perdre ses repères et à partir à la dérive dans un monde semé d'écueils et de pièges, et à s'engager dans une guerre permanente non seulement contre lui-même mais contre ses amis et ses ennemis, tant réels qu'imaginaires.

Ce livre est l'aboutissement d'une dizaine d'années d'efforts déployés par cet adulte désorienté pour mettre un terme à ses désordres intérieurs, s'affranchir d'un sentiment d'insignifiance et renouer avec un monde dans lequel les relations comptent et où il existe en permanence une voie d'évasion possible ; une quête pour trouver sa place dans l'espace. Cette improbable réadaptation et ce sentiment retrouvé d'avoir un but, déclenchés par un enchaînement imprévu d'événements et d'interventions inopinées, ont également coïncidé avec le réveil inattendu d'une obsession, présente depuis toujours mais récemment tombée en sommeil, concernant le pouvoir de l'imagerie, du symbole et du motif.

La reconnexion avec le monde de l'image, favorisée au départ par l'émergence des réseaux sociaux, s'est rapidement transformée en une addiction qui ne pouvait être satisfaite qu'en plongeant dans le stock d'archives d'images quasiment infini qui s'est brusquement trouvé disponible gratuitement en ligne. Ce trésor d'une ampleur inimaginable, extrait de tous les lieux, cultures et époques concevables, était désormais consultable sur l'écran craquelé d'un smartphone reconditionné ou lors d'une frénétique session d'une demi-heure dans l'un de ces cafés internet qui ont depuis longtemps disparu du sud-est de Londres.

Le contenu de ce livre ne représente qu'une infime partie des fruits recueillis au cours d'un incessant butinage dans les profondeurs et les recoins les plus obscurs de ce trésor. Conçu comme un voyage du microcosme au macrocosme, *Danse cosmique* est un zoom universel effectuant un panoramique du microbe à l'espace interstellaire, du quark au cosmos. Tout comme les exquises études de Maria Sibylla Merian sur les insectes, les reptiles et la flore indigènes du Surinam, compilées dans son stupéfiant ouvrage *Metamorphosis Insectorum Surinamensium* (1705), il révèle les cycles naturels et les relations entre organismes vivants et met en lumière leur interdépendance, composant vital de tout écosystème fonctionnel aussi bien au niveau microscopique que macroscopique.

Il est donc possible de retrouver une perspective, même dans les circonstances les moins prometteuses. Dans un monde confronté à des périls sans précédent et à des défis inimaginables, la clé de sa survie passe par la reconnaissance de la beauté, du dessein et des motifs discernables dans l'univers ; de l'interconnexion de toutes choses ; et de la nécessité de rétablir un équilibre. Si nous sommes capables d'atteindre cette perspective collective, alors nous pourrions être en mesure, selon les mots de William Carlos Williams, de « voir avec les yeux des anges ».

△

William Carlos Williams, introduction à *Howl and Other Poems* d'Allen Ginsberg (édition de 1959), publié pour la première fois en 1956

○

Illustration tirée de *Metamorphosis insectorum Surinamensium*, Maria Sibylla Merian, 1705

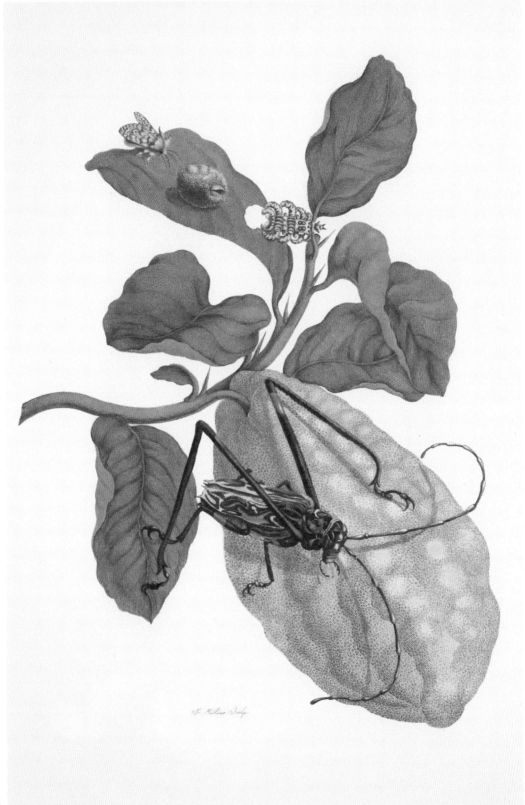

F. Miller Sculp.

o

Introduction —
Ce qui est en haut est
comme ce qui est en bas

« *En regardant en bas,
je regarde en haut.
En regardant en haut,
je regarde en bas.* » △

○
Philosophie tenant les
sphères, *De civitate Dei,*
Augustin d'Hippone,
XVᵉ siècle

△
Tycho Brahe, 1574

C'EST DE LA *TABLE D'ÉMERAUDE*, un texte hermétique daté approximativement entre 200 et 800 ap. J.-C., et attribué au légendaire personnage gréco-égyptien Hermès Trismégiste, que provient la phrase « Ce qui est en haut est comme ce qui est en bas ». Une traduction latine tardive du texte donne la formule complète : « Ce qui est en bas est comme ce qui est en haut, et ce qui est en haut est comme ce qui est en bas, pour faire les miracles d'une seule chose ». En Occident, au Moyen Âge et pendant la Renaissance, on pensait que la *Table d'émeraude* était un manuel de principes alchimiques qui exposait la méthode de transmutation des métaux communs en or et donnait les clés du secret de l'immortalité. Dès le XVIᵉ siècle pourtant, beaucoup, dont l'occultiste et alchimiste John Dee (1527-1608/1609), interprétaient le texte d'un point de vue plus métaphysique, la « seule chose » étant associée à l'idée platonicienne d'*anima mundi* (l'âme du monde), dans laquelle le monde est considéré comme une seule entité vivante contenant toutes les autres entités vivantes, et où toutes les choses vivantes sont reliées entre elles. L'équivalent moderne de cette idée est l'hypothèse Gaia proposée en 1974 par le scientifique James Lovelock et la biologiste Lynn Margulis. Tirant son nom de la déesse grecque Gaia, personnification de la Terre et mère de toute vie, l'hypothèse Gaia affirme que la Terre est un système complexe autorégulé dans lequel les organismes vivants entretiennent une relation synergique avec leur environnement et l'atmosphère, co-évoluant avec eux. Ainsi l'équilibre du tout est maintenu et les conditions optimales pérennisées pour toute vie sur la planète.

Depuis les anciennes civilisations égyptienne et mésopotamienne, l'humanité cherche à comprendre la façon dont est né l'univers et à déceler en lui un ordre et des motifs récurrents. Depuis toujours nous nous efforçons de saisir la nature de l'humanité et notre place dans l'univers. Nous recherchons des correspondances entre le ciel et la Terre, entre la nature et le corps humain. Et nous nous sommes livrés à des rituels secrets dans l'espoir de découvrir les secrets de l'univers, d'atteindre l'illumination spirituelle et l'immortalité. L'antique symbole égyptien de l'*ouroboros*, représentant un dragon ou un serpent qui se mord la queue, illustre à l'origine le cycle de la vie, de la mort et de la renaissance, le processus de mue du serpent symbolisant la transmigration des âmes.

○

□

Ouroboros est un terme grec ancien signifiant littéralement « qui se mord la queue ». Pour les gnostiques, l'*ouroboros* symbolisait l'unité du divin et du terrestre dans l'humanité, des forces contraires coexistant pour l'éternité à chaque extrémité de la créature. Dans l'hindouisme, l'*ouroboros* symbolise l'énergie primaire, le kundalini, et le cycle infini de la vie au travers de la réincarnation. On retrouve également ce même symbole dans un document connu sous le nom de *Chrysopée de Cléopâtre* (IIIᵉ siècle ap. J.-C.), attribué à Cléopâtre l'Alchimiste et au centre duquel figure la formule « Le tout est un. » En termes alchimiques, il représente l'éternité et l'éternel retour. L'alchimiste Michael Maier (1568-1622), l'auteur de *Atalanta fugiens* (1618) cite Cléopâtre comme l'une des seules quatre alchimistes femmes à avoir été capables de créer la pierre philosophale, une substance mythique – également appelée élixir de vie – que l'on pensait à même de pouvoir transformer les métaux communs en or et de procurer l'immortalité.

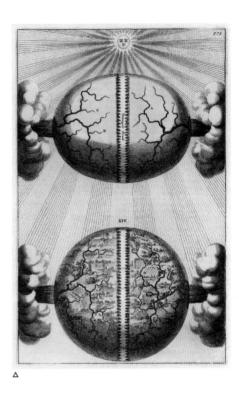

△

Dieu a-t-il créé l'univers à partir de rien – *ex nihilo* – ou à partir du chaos ? Ou alors l'univers est-il né d'un œuf cosmique avec l'être primordial Pangu, qui a séparé les forces contradictoires du yin et du yang pour former le ciel et la Terre, comme le croyaient les anciens Chinois ? Le ciel et la Terre ont-ils été formés par la séparation forcée du père primordial du ciel, Rangi, et de la mère de la Terre, Papa, apportant la lumière au monde, comme le relate la mythologie maorie ? Les esprits ancestraux des Aborigènes australiens ont-ils formé la terre, les rivières, les plantes, les animaux, les êtres humains et le ciel de la Terre en arpentant leurs lignes de chansons, ou pistes du rêve, à travers le pays pendant le Rêve ? Chaque culture propose un mythe de la création qui explique comment est né l'univers. Dans le shivaïsme, une branche de l'hindouisme, Shiva (parfois représenté sous les traits du danseur cosmique Nataraja) est le dieu suprême qui a créé l'univers grâce à une danse de création. Il est généralement représenté en train de danser dans un cercle de flammes qui symbolise sa capacité à détruire à volonté l'univers par une danse de destruction.

Selon les textes védiques (v. 1300-900 av. J.-C.) qui constituent la base de l'hindouisme, l'esprit de l'être divin existe dans toute créature vivante, et le moi de tout être humain est le même que celui de l'être suprême. Dans la

○
Évolution du Cosmos depuis
un point unique (Bindu), Inde,
XVIIIᵉ siècle

□
Dieu créant la Terre, le Soleil et
la Lune, *Bible historiale*, Guyart
des Moulins, v. 1415

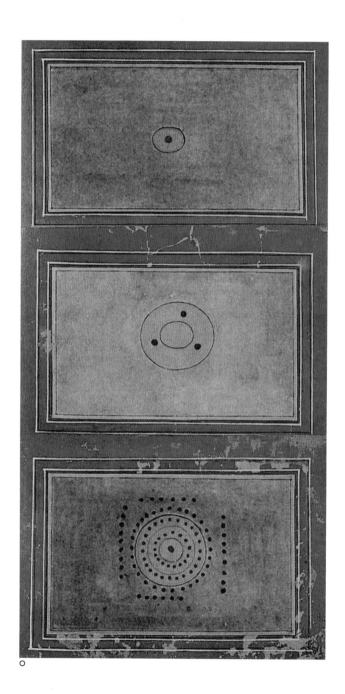

○
La Danse cosmique

« Tout ce qui est dans les cieux, sur la terre et
sous la terre est pénétré d'interdépendances,
pénétré de parentés. »

Hildegard von Bingen

○

○
The Eye That Sees Everything,
Man Ray, 1919

□
La Création des cieux,
Flandres, v. 1475

La Danse cosmique

« *Se représenter continuellement le monde comme un seul être animé, qui ne renferme qu'une seule substance et qu'une seule âme ; essayer de comprendre comment toutes choses doivent se rapporter à une perception unique, qui est la sienne ; comme c'est lui qui fait tout par une unique impulsion ; comment chaque détail coopère réciproquement à tout ce qui arrive […].* »

Marc Aurèle, *Pensées*, v. 161-180 ap. J.-C.

○

tradition philosophique taoïste chinoise, le Tao, la voie, peut être décrit comme « le flux de l'univers ». L'humanité fait partie de ce flux et doit agir en harmonie avec les cycles et les schémas de l'univers. Si un individu oppose sa volonté aux rythmes naturels de l'univers, il risque de bousculer cette harmonie, et les conséquences de ses actes pourraient ne pas être celles qu'il prévoyait. Le yin et le yang doivent toujours être équilibrés – quand l'un s'élève, l'autre descend. Yin et yang sont liés en un seul tout ; chacun transforme l'autre. Le taoïsme trouve son origine dans le *Yi Jing*, ou *Livre des mutations*, un manuel de divination daté entre 1000 et 750 av. J.-C., dans lequel 64 hexagrammes, chacun accompagné d'un bref commentaire énigmatique, peuvent

être consultés au hasard et interprétés pour déterminer l'intention divine.

Dans la Grèce antique, Platon (428/427-348/347 av. J.-C.) et les philosophes néoplatoniciens qui lui ont succédé ont tenté de définir la relation des êtres humains à l'univers à l'aide des concepts de microcosme et de macrocosme. Ils considéraient l'être humain individuel comme un petit monde *(mikros kosmos)* dont la structure et la composition correspondent à celles de l'univers ou grand monde *(makros kosmos)*. Le sens originel de *kosmos* (ordre) implique l'arrangement harmonieux et esthétiquement beau des parties de tout système organique. Le concept de mondes macrocosmique et microcosmique est fondé sur l'idée qu'il existe, à grande comme à petite échelle, une similarité universelle de disposition et de structure. Chaque chose vivante est un monde miniature distinct, complet en soi, dont la composition et la structure correspondent à celles du cosmos. L'humanité est un reflet de l'univers, contenant tous les éléments essentiels présents dans celui-ci, un microcosme suspendu dans la matrice du macrocosme. La nature humaine se reflète par conséquent dans la nature de l'univers. Les règles et forces qui gouvernent tous les organismes vivants sont les mêmes que celles qui façonnent et gouvernent l'univers entier. Chaque substance simple est un miroir vivant de l'éternité et tout ce qui survient dans le macrocosme trouve son écho dans le microcosme. Le philosophe grec Empédocle (v. 494-434 av. J.-C.) postulait par exemple que toutes les structures de la Terre étaient composées de quatre éléments fondamentaux – air, feu, terre et eau. Aristote (384-322 av. J.-C.) y ajouta plus tard un cinquième élément, l'éther,

ou quintessence, une substance céleste dont
sont composées les étoiles. Ces quatre éléments
terrestres ont par la suite été mis en relation
avec les quatre humeurs, ou fluides organiques
vitaux, identifiées par le père de la médecine
occidentale, Hippocrate (v. 460-370 av. J.-C.),
à savoir le sang, la bile jaune, la bile noire et le
phlegme. Originaire de Pergame, le médecin
grec Galien (129-v. 216 ap. J.-C.) pensait que ces
humeurs influençaient le tempérament d'un
individu – sanguin, colérique, mélancolique ou
flegmatique –, et que chacune était associée
à un organe spécifique – foie, vésicule biliaire,
rate et cerveau ou poumons. Les éléments
étaient également attribués aux signes
du Zodiaque faisant référence aux douze
constellations ; par exemple, les Gémeaux
sont un signe d'air ou le Lion un signe de feu.

Galien croit aussi que des parties ou
organes malades de l'organisme peuvent être
soignés par des plantes ou des parties de
plantes qui leur ressemblent. Jacob Boehme
(1575-1624) développa et propagea largement le
concept qu'il baptisa doctrine des signatures.
Promoteurs enthousiastes de cette doctrine,
l'herboriste Nicholas Culpeper (1616-1654)
et le botaniste William Coles (1626-1662)
pensaient que Dieu avait doté les herbes
médicinales d'un signe physique, ou signature
de leur usage thérapeutique.

Le philosophe néoplatonicien Plotin
(204/205-270 ap. J.-C.) postulait que matières
et êtres vivants pouvaient être classés en
une structure hiérarchique commençant au
sommet par Dieu et se terminant en bas avec
les minéraux ; il l'appelait la grande chaîne des
êtres. Chaque forme dans la hiérarchie partage
une caractéristique avec la forme précédente,
de sorte que la chaîne présente une gradation

de toutes les sortes de choses existant dans
l'univers. Développés ensuite durant la période
médiévale, les segments clés de la chaîne
étaient Dieu, suivi des anges (esprit seul),
puis des humains, des animaux et des plantes
(combinaison d'esprit et de matière), pour finir
tout en bas par les minéraux (matière seule).

Les philosophes grecs de l'Antiquité
supposaient que, du fait que chaque forme
dans la chaîne était liée à la suivante, la
transmutation d'une sorte de chose en une
autre devait être possible. Ils pensaient qu'on
pouvait travailler la *prima materia*, ou première
matière de l'univers, pour créer la pierre
philosophale, laquelle pouvait ensuite être
utilisée pour transmuer les métaux les plus
ordinaires en or et atteindre à l'immortalité.
L'alchimiste gréco-égyptien et mystique

□

L'ŒUF COSMIQUE, ou œuf du monde, figure dans les récits de création de nombreuses cultures indo-européennes. L'idée en est apparue à l'origine dans les textes sacrés sanscrits, où il est désigné du terme de *Brahmanda*, contraction de « dieu créateur » et « œuf ». Dans cette version, l'univers naît de l'œuf, qui se brise en deux pour former le ciel et la Terre. Dans la mythologie chinoise, l'univers et la divinité Pangu prennent tous deux forme à l'intérieur d'un œuf cosmique, que Pangu brise, séparant le yin du yang et créant le ciel et la Terre. Dans l'antique tradition grecque orphique, la divinité hermaphrodite Phanès naît de l'œuf et crée immédiatement d'autres dieux.

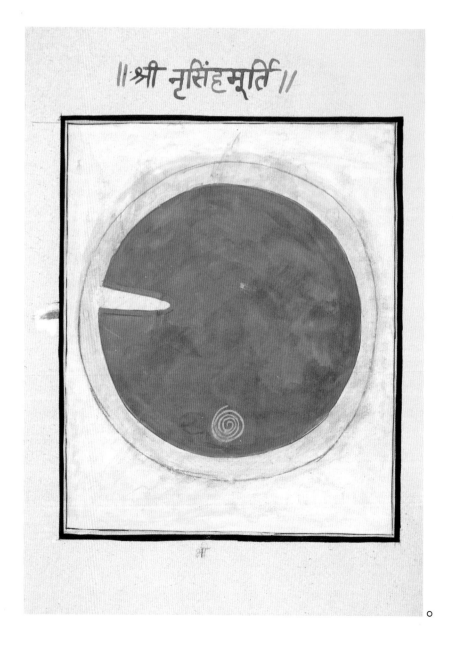

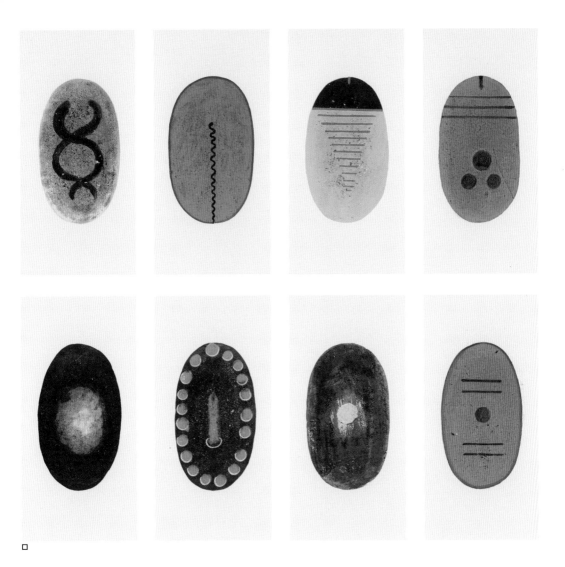

○
Shaligram peint par Badrinath Pandit,
Rajasthan, Inde, v. 1960

□
Série de *Brahmandas*, ou œufs
cosmiques, Inde du Nord, XXe siècle

○
Primi quadriui mysterium,
John Dee, XVIᵉ siècle

□
« Le Cosmos cabalistique »,
*La saincte et très christienne
Cabale,* Jehan Thenaud,
XVᵉ siècle

LE SYMBOLE DU TRIANGLE se retrouve dans de nombreuses traditions culturelles hermétiques, parmi lesquelles les traditions égyptienne et grecque, l'hindouisme et l'occulte. Il peut représenter la trinité, dans l'humanité, du mental, du corps et de l'esprit (ou âme), ou les idées de création, de préservation et de destruction. Il peut se comprendre comme une porte d'entrée vers la compréhension spirituelle. Le macrocosme de l'univers est souvent représenté par des cercles concentriques symbolisant les mondes spirituels, avec la Terre au centre.

gnostique Zosime de Panopolis (fin du IIIᵉ-début du IVᵉ siècle de notre ère) est l'auteur du premier ouvrage connu sur l'alchimie. Il pensait que la transmutation du plomb en or reflétait un processus intérieur de purification et de rédemption. Jabir ibn Hayyan, qui aurait vécu au VIIIᵉ siècle et rédigé un grand nombre de traités d'alchimie, attribuait des associations de propriétés fondamentales – chaud, froid, sec et humide – à chacun des éléments classiques, et soutenait qu'en réorganisant les qualités d'un métal, on pouvait en obtenir un autre. En Europe, pendant la Renaissance, les branches médicales et occultes de l'alchimie se sont développées simultanément : John Dee affirmait par exemple que l'on pouvait utiliser la pierre philosophale pour entrer en communication avec les anges. Au XIXᵉ siècle, l'alchimie était considérée moins comme une science pratique que comme une pratique mystique cherchant surtout à atteindre l'éveil spirituel.

Le symbole ancien de l'*axis mundi* (axe ou centre du monde), souvent représenté par le motif de l'arbre monde, complète le concept du macrocosme reflété dans le microcosme avec l'idée d'un axe, ou voie, reliant toutes les parties de l'univers. Dans les représentations de l'arbre monde, le tronc relie la surface de la Terre au ciel par ses branches, et au monde souterrain par ses racines. Dans la mythologie nordique, l'arbre monde est le frêne *Yggdrasil*. Il représente le centre du cosmos et passe pour être le lieu où les dieux s'assemblent chaque jour pour tenir leurs débats. Un écureuil, Ratatosk, ne cesse d'aller et venir de haut en bas du tronc, transportant les messages qu'échangent l'aigle, qui vit au sommet de l'arbre, et le serpent, qui réside entre ses racines.

Le corps humain peut également être utilisé comme un symbole de l'axe ou du centre du monde. Dans *L'Homme de Vitruve* (v. 1492), Léonard de Vinci (1452-1519) illustre la symétrie et les proportions qui président au corps masculin, et dont il pense qu'elles reflètent le modèle de l'univers. De nombreuses traditions philosophiques du monde enseignent que les individus peuvent s'élever ou descendre le long de l'axe, ou voie, dans leur quête de la connaissance et des intuitions des royaumes supérieur ou inférieur, avec pour objectif ultime de dépasser le royaume microcosmique pour entrer dans le macrocosmique. Au cœur de la pratique religieuse du chamanisme, né au nord de l'Asie dans des sociétés indigènes et tribales, on trouve la croyance selon laquelle le praticien peut se transporter, parfois par la transe, dans le monde spirituel afin de communiquer avec les esprits et utiliser l'énergie spirituelle pour guérir ceux qui vivent dans le monde physique inférieur. Pour les Yorubas d'Afrique de l'Ouest, ce sont les prêtres appelés *Babalawos* qui font le lien entre le monde spirituel de l'*Orun* – sur lequel règne le dieu créateur Olodumare et qui est habité par des divinités secondaires, les *Orishas* – et le monde matériel de l'*Aiye*, peuplé de toute la vie sur Terre. À l'aide du système de divination appelé *Ifa*, les *Babalawos* interprètent les messages des *Orishas* à l'attention des personnes en quête de conseils personnels.

YGGDRASILL,
The Mundane Tree

La Danse cosmique

« Yggdrasill : l'arbre monde », illustration de
Oluf Olufsen Bagge tirée d'une traduction
anglaise de l'*Edda en prose*, 1847

Arbre du Savoir du Bien et du Mal, *Geheime
Figuren der Rosenkreuzer (Symboles secrets des
Rosicruciens)*, 1785

Le motif de l'arbre de vie se retrouve dans
de nombreuses religions, y compris dans le
christianisme. Dans la Bible, le Livre de la
Genèse indique qu'il se trouve à côté de l'arbre
de la connaissance, dans le jardin d'Éden,
où il symbolise la vie éternelle. L'arbre de
vie islamique dont parle le Coran est connu
comme arbre de l'immortalité. Cet arbre était
traditionnellement représenté sur les tapis de
prière et délicatement sculpté en pierre sur
les ouvertures des mosquées, l'exemple le plus
fameux se trouvant à la mosquée Siddi Saiyyed
(1572-1573), dans l'État indien du Gujarat. Le
motif figure souvent sur les palempores – les
tentures murales confectionnées au XVIIIᵉ siècle
pour les cours de l'empire moghol et du
Deccan. Ces textiles peints à la main présentent
des motifs complexes extrêmement élaborés où
d'innombrables feuilles, fleurs, fruits et oiseaux
exotiques sont disposés parmi les branches
ondulantes tandis que de nombreux animaux
cabriolent au pied de l'arbre, qui se dresse
généralement au sommet d'un monticule ou
d'une colline stylisés. Les mosquées compor-
tent fréquemment dans leur architecture des
motifs floraux ou des représentations de fruits
et de légumes faisant référence au paradis qui
nous attend après la mort.

Les XIIᵉ et XIIIᵉ siècles virent émerger la
Kabbale juive – un enseignement ésotérique
mystique de la relation entre l'éternel *Eyn
Sof* (sans fin) et sa création, l'univers. Pendant
la Renaissance, cet enseignement retint
l'attention de Pic de la Mirandole (1463-
1494), qui développa une sorte de Kabbale
chrétienne, à propos de laquelle Johannes
Reuchlin (1455-1522) écrivit le texte *De Arte
Cabbalistica* (1517). C'est Reuchlin qui conçut
le premier diagramme de l'arbre de vie

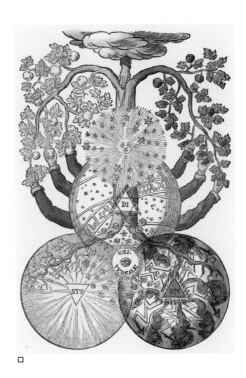

cabbaliste. Le diagramme présente dix nœuds,
ou sphères, numérotés appelés *sephiroth*, dont
chacun représente une énergie divine et qui
composent ensemble la carte de la création
et de la place de l'humanité en son sein. Les
sphères sont disposées sur trois colonnes, ou
piliers d'énergie, et reliées entre elles par vingt-
deux chemins. Rabbi Isaac Louria (1534-1572),
également connu sous le nom d'*Arizal*, a fait
de la Kabbale un système complet appelé
Kabbale lourianique, qu'il enseigna dans la ville
de Safed dans l'actuel Israël. À partir de toutes
les notes de lecture qu'il avait assemblées, son
disciple Rabbi Haïm Vital composa ensuite le
Sefer Etz Hayyim (le Livre de l'arbre de vie). Le
cabbaliste recherche la connaissance de soi

LES QUATRE ÉLÉMENTS – air, feu, eau et terre – ont été proposés pour expliquer la base matérielle de l'univers physique par le philosophe grec Empédocle (v. 494–v. 434 av. J.-C.), qui les appelait « racines ». Platon (428/427–348/347 av. J.-C.) associait chaque élément à un solide, et Aristote (384–322 av. J.-C.) liait chaque élément à des associations de quatre qualités : l'air est chaud et humide, le feu chaud et sec, l'eau froide et humide, la terre froide et sèche. Selon la théorie de l'alchimiste Jabir ibn Hayyan (dont on suppose qu'il a vécu entre 721 et 815 ap. J.-C., si les métaux sont composés d'une *jawhar* (substance) et de deux qualités, ou *ṭabāʾiʿ* (natures), alors en réarrangeant la *ṭabāʾi*, on pouvait transformer un métal en un autre.

○
Quatre éléments, *L'Ovide moralisé*, traduction française, Bruges, 1470-1480

□
Illustrations tirées du *Livre des propriétés des choses*, Barthélémy l'Anglais, traduction de Jean Corbechon, 1485

La Danse cosmique

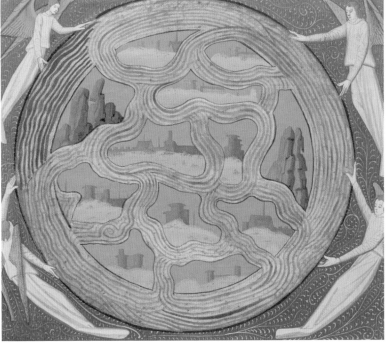

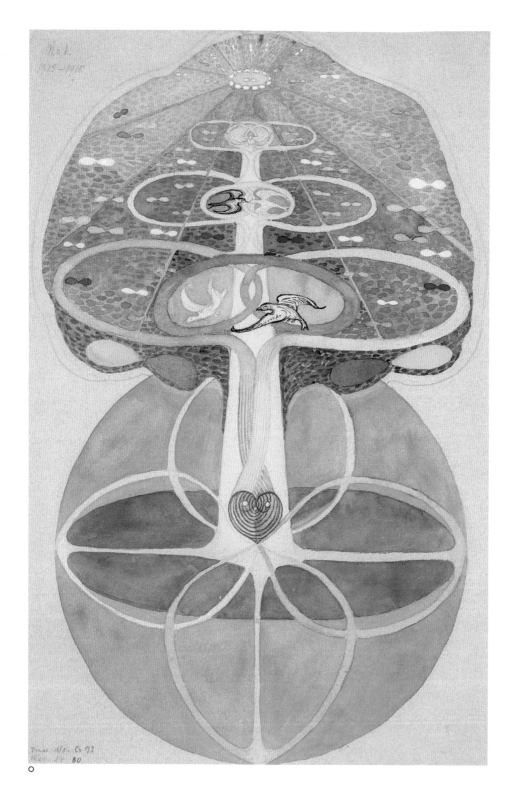

La Danse cosmique

« *Ici croît le remède à tout, ce fruit divin,*
beau à la vue, attrayant au goût,
et dont la vertu est de rendre sage.
Qui empêche donc de le cueillir et d'en
nourrir à la fois le corps et l'esprit ? »

John Milton, *Le Paradis perdu*, livre IX, 1667

○
Tree of Knowledge,
Hilma af Klint, 1913

□
La Chute de l'homme,
Hugo van der Goes,
après 1479

et la compréhension de l'univers et de Dieu en gravissant l'arbre de vie, sphère par sphère, jusqu'à ce qu'il atteigne son moi supérieur et l'éveil spirituel.

La roue de vie, ou *Bhavacakra*, représente la conception bouddhiste de l'existence sous la forme d'un cycle de vie, mort et renaissance, dont les bouddhistes cherchent à s'échapper en parvenant à l'illumination. La roue est divisée en six domaines – dieux et dieux en colère, êtres humains, esprits faméliques, animaux et enfer. Le personnage qui tient la roue est Yama, qui renvoie à l'impermanence, et au centre de la roue se trouvent les trois brasiers de la souffrance – l'avidité, l'ignorance et la haine –, représentés par un coq, un porc et un serpent. En général le Bouddha est assis à l'extérieur de la roue : il a échappé au cycle de la vie et de la mort.

Les cercles ou roues multiples constituent un élément central du concept de chakra que l'on trouve dans les anciennes traditions hindoues, bouddhistes et jaïnistes. Dès le début de la période médiévale, les chakras symbolisent les nœuds d'énergie psychique à l'intérieur du corps physique, chaque être

○

humain existant simultanément à un niveau physique et à un niveau psychologique et mental appelé « corps subtil ». Les deux plans s'influencent l'un l'autre, de sorte que si l'un est endommagé ou bloqué, l'autre souffrira d'un mal équivalent. Le nombre de chakras essentiels du corps varie de quatre à sept en fonction de l'obédience religieuse. Les nœuds sont disposés en colonne à partir de la base de la colonne vertébrale jusqu'au sommet du crâne, et reliés entre eux par des canaux verticaux nommés *nadis*. En énergisant chaque chakra par des exercices respiratoires, des méditations et des mantras, le flux d'énergie qui irrigue les chakras reste fluide, l'esprit et le corps sont en équilibre. Dans la pensée tantrique, en alignant ses chakras, le praticien est capable de parvenir à une parfaite harmonie entre mental, corps et esprit, et par là d'atteindre la compréhension spirituelle complète, c'est-à-dire l'éveil.

La méditation joue un rôle clé dans l'hindouisme, le bouddhisme, le jaïnisme et le shintoïsme, tandis que les mandalas et mantras qui lui sont associés aident l'individu dans sa pratique. La représentation géométrique d'un mandala se compose généralement de représentations de divinités, de paradis et de temples composant une carte spirituelle pour le praticien, qui progresse du cercle le plus extérieur jusqu'au centre, contemplant l'un après l'autre le contenu de chaque anneau. Dans la version simple d'un mandala hindou, une divinité est représentée dans un cercle au centre d'un carré avec de chaque côté un portail en forme de T. Un mandala bouddhiste peut représenter une Terre pure, ou une vision de l'univers entier avec le mont Meru comme *axis mundi* au centre, ou encore montrer les cinq Bouddhas, chacun personnifiant un aspect différent de l'éveil. Parmi les symboles les plus courants, on trouve la roue à huit rayons représentant l'univers parfait et le Noble chemin octuple de la voie vers l'éveil du bouddhisme, un cercle de feu symbolisant la purification de la sagesse, un cercle de huit tombes qui rappellent au praticien

□

l'impermanence de la vie ainsi que la fleur de lotus exprimant l'équilibre par la symétrie et représentant, par sa croissance depuis le fond de l'eau vers la lumière, le désir d'atteindre l'illumination spirituelle. On trouve des mandalas dans de nombreux temples et stupas bouddhistes, parmi lesquels le temple de Borobudur construit au XVIIᵉ siècle sur l'île de Java. Les bouddhistes tibétains composent des mandalas en sable qui sont rapidement détruits afin d'illustrer l'impermanence.

La peinture au sable est une partie essentielle des cérémonies de guérison pratiquées par le peuple navajo dans le sud-ouest des États-Unis. Elle est fondée sur les dessins symétriques traditionnels des Navajos représentant des images d'êtres sacrés. Chaque peinture au sable agit comme un portail ouvrant sur le monde des esprits. Le *medecine man* ou la *medecine woman* demande aux esprits des personnages sacrés représentés dans la peinture au sable d'entrer dans le dessin alors que le patient est assis dessus pour s'imprégner

du pouvoir spirituel et permettre aux esprits d'ingérer la maladie. Au terme de la cérémonie, la peinture au sable est détruite, et avec elle la maladie qu'elle a absorbée.

Dans sa présentation géométrique de symboles, la Pierre du Soleil aztèque est une forme de mandala. Sculptée par les Mexicas sous le règne de Moctezuma II entre 1501 et 1520, elle a été découverte en 1790 sous la place principale de Mexico, à l'emplacement de l'ancienne capitale aztèque de Tenochtitlan. Au centre de cette grande pierre finement sculptée se trouve ce que l'on pense être le visage de la divinité solaire Tonatiuh. Autour de la divinité centrale sont gravés quatre carrés représentant les quatre ères ou soleils précédents. Ceux-ci sont entourés par un cercle concentrique de signes correspondant aux vingt jours du calendrier aztèque. Il est probable que la Pierre du Soleil ait été utilisée lors de rites sacrés comprenant des sacrifices de cœur humain, accomplis pour assurer la survie de la Terre au cours des cinquante-deux ans du cycle aztèque suivant.

La création d'une imagerie a toujours accompagné le développement de la philosophie et de la science, de la religion et de l'occultisme. Les pages somptueuses qui suivent vous invitent à un périple visuel du microcosme vers le macrocosme, des merveilles infinitésimales du monde subatomique aux vastitudes inconcevables de l'espace infini. Provenant de 3000 ans d'investigation philosophique, religieuse et scientifique, elles inspirent crainte et émerveillement, donnent du sens et incitent à réfléchir à la complexité, aux motifs récurrents et à la beauté du monde naturel, ainsi qu'à la place et au dessein de l'humanité dans l'univers.

○

○
Représentation de l'univers, *Scivias,*
Hildegard von Bingen, v. 1165

□
« Figure cosmique », gravure sur bois
tirée de *Le vray et methodique cours
de la physique resolutive: vulgairement
dite chymie,* Annibal Barlet, 1657

« *Vous ne pouvez jamais jouir correctement du monde, tant que la mer elle-même ne coule pas dans vos veines, tant que vous n'êtes pas revêtu des cieux et couronné des étoiles, tant que vous ne vous percevez pas comme l'unique héritier du monde entier, et plus encore, parce qu'il y a en lui des hommes qui sont tous des héritiers uniques aussi bien que vous.* »

Thomas Traherne, *Les Centuries,* 1908

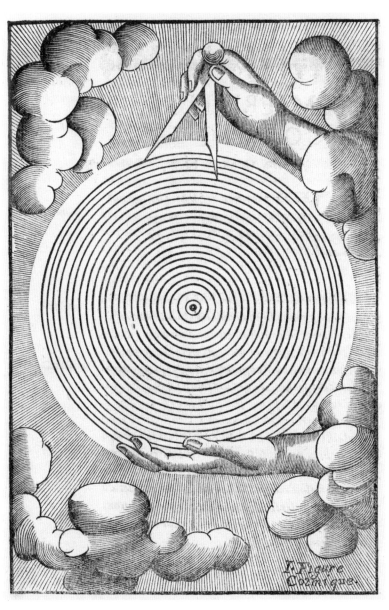

○
Kakemono en papier illustré à l'encre avec
un *ensō* (cercle) par Mugaku, anciennement
au temple Daitokuji, XVIIIᵉ siècle

□
Première grotte zen japonaise (monastère),
Sengai Gibon, 1819-1828

La Danse cosmique

« *Dans la hutte ce printemps ;*
Il n'y a rien –
Il y a tout ! »

Yamaguchi Sodo, *Haiku*, vol. 2, 1950

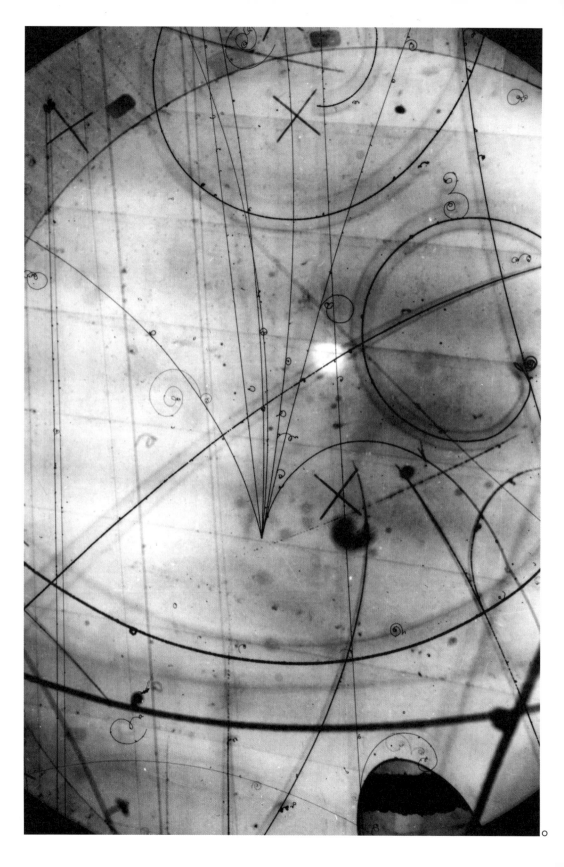

1. L'univers infinitésimal

« *Voir le monde en*
un grain de sable,
Un ciel en une fleur
des champs,
Retenir l'infini dans
la paume des mains
Et l'éternité dans
une heure. » [△]

○
Parcours effectué par des particules
atomiques de l'accélérateur de particules
du Fermi National Accelerator Laboratory,
Batavia, Illinois, USA, 1978

△
William Blake, *Augures*
d'innocence, 1863

Ce n'est qu'avec l'invention du microscope que les scientifiques ont pu commencer à étudier en détail l'anatomie des plantes ou la structure des organismes vivants, d'abord au niveau cellulaire, puis plus tard au niveau moléculaire. Du XVIIᵉ au XIXᵉ siècle, leurs magnifiques dessins minutieusement détaillés d'algues, d'insectes, de plantes et d'animaux, vus à travers des lentilles de plus en plus grossissantes, ont fait progresser notre compréhension des complexes et merveilleuses structures des royaumes végétal, animal et minéral avant de contribuer ensuite à la théorie de la maladie et de l'épidémiologie. L'observation des matériaux naturels au microscope – des diatomées aux ailes des papillons en passant par les capillaires et les flocons de neige – a révélé de beaux et complexes motifs et formes qui ont influencé le travail des artistes aussi bien que des scientifiques.

C'est en 1621 à Londres que l'inventeur hollandais Cornelis Drebbel (1572-1633) a dévoilé au public un microscope composé d'un objectif convexe et d'un oculaire bombé. Après avoir vu l'appareil, Galilée (1564-1642) y apporta des modifications et, en 1624, présenta son *occhiolino* (petit œil) au prince Federico Cesi (1585-1630), fondateur de l'Accademia dei Lincei à Rome. Le secrétaire de l'académie, Giovanni Faber, le baptisa « microscope », du grec *micron* (petit) et *skopein* (regarder). L'année suivante, Francesco Stelluti (1577-1652) et Federico Cesi publiaient un ouvrage grand format intitulé *Apiarium*. Première publication à contenir des observations effectuées au microscope, il présentait des dessins anatomiques d'une abeille observée avec un microscope de grossissement x 10, accompagnés de textes expliquant la nature et le symbolisme des abeilles ainsi que de descriptions de différentes espèces d'abeilles.

En 1663, le scientifique polymathe Robert Hooke (1635-1703) fut nommé responsable des expériences de la Royal Society qui avait été créée en 1660. Deux ans plus tard, la société publia l'important ouvrage de Hooke, *Micrographia*, premier livre à présenter des dessins d'insectes et de plantes vus au microscope. Hooke exécuta ses dessins détaillés à partir de multiples observations de spécimens similaires vus sous différents angles à l'aide de lentilles de différents grossissements. Il fut le premier à utiliser le terme de « cellule » au sens biologique et observa que les cellules des plantes étaient disposées en parois comme les alvéoles d'un nid d'abeilles. La Royal Society publia en 1675 puis en 1679 les travaux du biologiste et médecin Marcello Malpighi (1628-1694) décrivant des spécimens observés au microscope. Malpighi fut le premier à décrire les structures capillaires des poumons d'une grenouille et à remarquer dans la peau des invertébrés les petits orifices, ou trachées, qui leur permettent de respirer. Il fut également l'un des premiers à observer les globules rouges dans le sang. Artiste talentueux, il exécuta des dessins aussi exquis que précis des organes des fleurs et procéda à une observation approfondie du cycle de vie des plantes et des animaux. Antoni van Leeuwenhoek (1632-1723), le « père de la microbiologie », fut le premier à observer des microbes avec des microscopes à lentille unique qu'il concevait et fabriquait lui-même, et pouvant grossir jusqu'à 275 fois. Dans des lettres adressées à la Royal Society en 1676, il décrit et représente

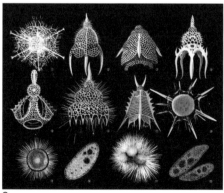

des organismes unicellulaires, parmi lesquels
des bactéries et des protozoaires.

Le zoologiste et naturaliste Ernst Haeckel
(1834-1919) réalisa plus d'une centaine de
planches détaillées en couleur d'animaux et de
créatures marines – dont beaucoup décrites
pour la première fois par Haeckel lui-même –
qui furent publiées en lots entre 1899 et 1904
sous le titre *Formes artistiques de la nature
(Kunstformen der Natur)*. Dans la présentation
de chacun des différents spécimens figurant sur
une planche, Haeckel s'efforce de montrer la
symétrie inhérente aux différentes espèces qui
reflète sa croyance dans la théorie du développement évolutif de formes non aléatoires.
Le biologiste et mathématicien écossais D'Arcy
Wentworth Thompson (1860-1948) croyait lui
aussi à la symétrie et aux motifs récurrents dans
les formes des animaux et des plantes. Dans
son livre *On Growth and Form* (1917), il soutient
que la forme et la structure des organismes
vivants sont déterminées par les lois physiques
et la mécanique.

Le physicien et musicien Ernst Chladni
(1756-1827) fut le premier à démontrer que les
vibrations causées par le son créent des motifs
particuliers qui dépendent de la fréquence des
ondes produites. Il recouvrait de sable une
plaque de cuivre et en frottait le bord avec un
archet. Le sable se déposait selon des lignes
nodales là où la surface était immobile, créant
ainsi un motif simple de vibration que l'on
appelle « figure de Chladni ». Ses observations
furent publiées en 1787 dans son livre
Entdeckungen über die Theorie des Klanges.

Le développement de la photographie dans
la seconde moitié du XIXe siècle procura aux
scientifiques et aux artistes de nouvelles façons
de saisir et de montrer le monde naturel. En

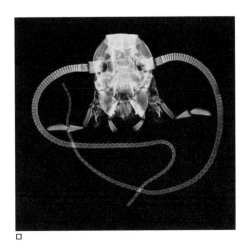

□

1885 le météorologiste Wilson Bentley (1865-
1931) associa un microscope à une chambre à
soufflet afin de photographier individuellement
des flocons de neige tombant dans le Vermont.
Recueillant chaque flocon sur un fond noir
avant de le placer sous son appareil photo-
microscope, il réalisa au cours de son existence
plus de 5000 images de flocons de neige, qu'il
appelait des « fleurs de glace ». L'astronome
Étienne Léopold Trouvelot (1827-1895)
maria art et science en exposant des plaques
photosensibles à des étincelles électriques afin
de créer des images abstraites rappelant des
volutes en ramilles, des coraux ou des neurones,
chacune fixée de façon permanente dans un
motif unique connu sous le nom de « figure de
Trouvelot ». Des motifs arborescents similaires,
appelés « figures de Lichtenberg », peuvent être
obtenus en exposant la surface d'un isolant
à une décharge électrique de fort voltage
avant de la recouvrir d'une poudre colorée.
La poudre adhère aux zones de charge, révélant
de délicats motifs radiaux.

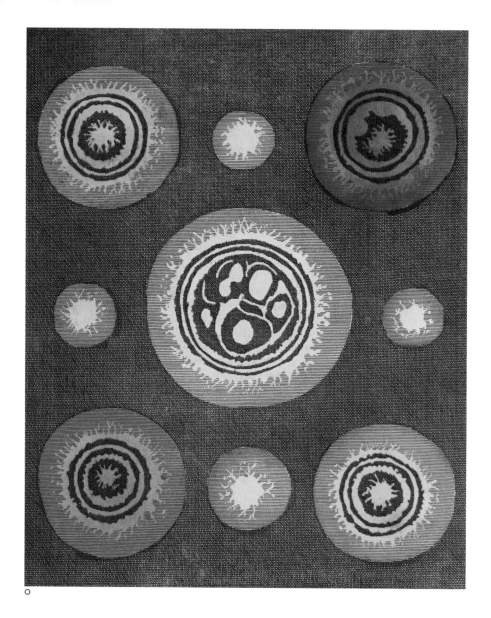

○
« Étoiles électriques », gravure sur cuivre
tirée de *A Key to Physic, and the Occult
Sciences*, Ebenezer Sibly, 1792

□
Maquette d'un nuage atomique dense,
J. P. Wolff, v. 1950

La Danse cosmique

EBENEZER SIBLY (1751–v. 1799) était un astrologue et médecin anglais, surtout connu pour avoir publié en 1787 un horoscope pour la naissance des États-Unis. C'était un partisan de la théorie du magnétisme animal de Franz Mesmer (1734-1815), qui affirmait qu'un fluide magnétique invisible est présent naturellement dans toutes les choses vivantes et peut affecter la santé de l'organisme. Dans *A Key to Physic, and the Occult Sciences*, Sibly explique comment le fluide magnétique dans le corps peut être manipulé grâce à des méthodes utilisées par les mesméristes, parmi lesquelles l'imposition des mains, afin de produire des effets physiques bénéfiques, comme la cicatrisation.

□

○
Figures de Lichtenberg : A. R. von Hippel, Gyorgy Kepes, 1951

□
Étincelle électrique directe également connue sous le nom de « Figure de Trouvelot », obtenue avec une bobine de Ruhmkorff ou machine de Wimshurst, Étienne Léopold Trouvelot, 1888

« *Et l'électricité ? le Démon, l'Ange, le dernier terme de la puissance physique, la suprême conquête de l'intelligence ? […] qu'au moyen de l'électricité le monde matériel est devenu comme un grand organisme nerveux, qu'on fait vibrer en une seconde sur une étendue de plusieurs milliers de lieues ?* »

Nathaniel Hawthorn, *La Maison aux sept pignons*, 1851

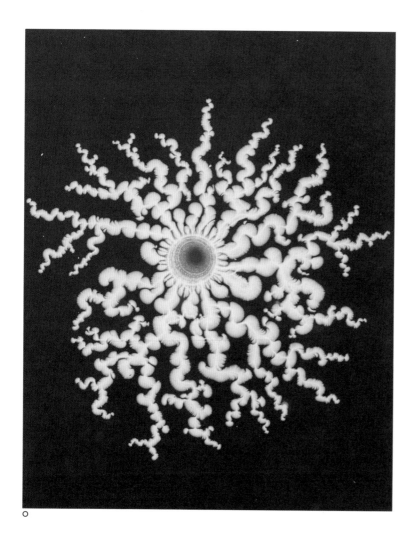

○

La Danse cosmique

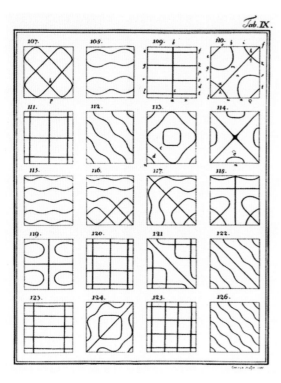

○
« Klangfiguren » (Figures soniques), diagrammes tirés de *Entdeckungen über die Theorie des Klanges (Découvertes sur la théorie du son)*, Ernst Chladni, 1787

□
La lumière renvoyée par des diapasons crée des motifs prévisibles, *Sound and Music*, John Augustine Zahm, 1892

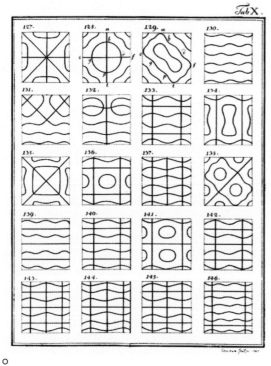

○

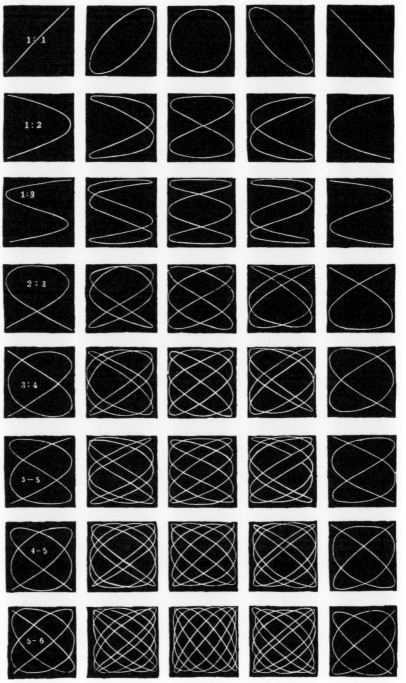

○

○
Relief éponge bleu sans titre,
Yves Klein, 1960

□
Couverture de *Hamonshū* (livre japonais
de motifs de vagues et d'ondulations),
Mori Yūzan, v. 1917

La Danse cosmique

« *Pour observer, pour pénétrer cette essence,*
ce silence, ce bleu, couleur. »

William Heyen, « Blue », *The Swastika Poems*, 1977

○
Acide ascorbique cristallisé sur une lame de
microscope dans une lumière polarisée par
Cosmodernism (Kamil Czapiga), 2021

□
Le Concert, cristaux de quartz d'agate
brésiliens, professeur Bernardo Cesare,
2021

○

□

« *Les crißaux poussaient à l'intérieur des roches comme des fleurs arithmétiques. Ils s'allongeaient et épaississaient, multipliant leurs facettes, reßpeĉtant scrupuleusement une géométrie parfaite que même les pierres (et peut-être seulement elles) comprennent.* »

Annie Dillard, *Une enfance américaine, 1987*

○
Bulles de savon sur une lame de microscope,
Cosmodernism (Kamil Czapiga), 2021

□
Microphotographies de flocons de neige,
Wilson Bentley, v. 1890

○

LE 15 JANVIER 1885, WILSON « FLACON DE NEIGE » BENTLEY (1865-1931)
fut la première personne à photographier un flocon de neige. Pionnier
de la photomicrographie, Bentley documenta plus de 5000 flocons
en une quarantaine d'années. Une sélection des photomicrographies
de Bentley fut publiée dans le mensuel *Popular Science* en mai 1898
dans le cadre d'un article intitulé « Étude de cristaux de neige » rédigé
en collaboration avec le naturaliste George Henry Perkins. Bentley et
Perkins furent les premiers scientifiques à affirmer qu'il n'existe pas
deux flocons exactement identiques.

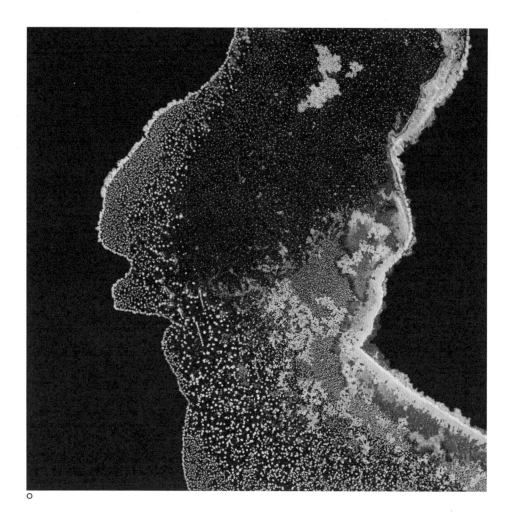

o

« *Oh, pour la merveilleuse alchimie de Médée,*
Qui où qu'elle soit tombée a fait briller la terre
Avec des fleurs brillantes, et les rameaux
hivernaux exhalent
De floraisons printanières un parfum frais ! »

Percy Bysshe Shelley, *Alastor ou l'esprit de la solitude*, 1816

○
Untitled salt copper drawing,
Kira O'Reilly, 2015

□
Acide urique du ruminant, micrographie
de Laure Albin-Guillot, 1931

□

LES MICROALGUES UNICELLULAIRES se trouvent, isolées ou en colonies, dans presque tous les environnements aquatiques ou humides sur terre, et représentent à eux seuls de 20 à 50 % de l'oxygène produit chaque année. Illustrée pour la première fois en 1703, ce n'est qu'en 1783 que la première diatomée fut formellement identifiée par le naturaliste Otto Friedrich Müller. D'une taille variant de 2 à 200 microns, les diatomées sont de forme soit centrique (à symétrie radiale), soit pennée (à symétrie bilatérale) et possèdent toutes une enveloppe solide et poreuse composée essentiellement de silice. Environ 16000 espèces de diatomées ont été identifiées à ce jour.

La Danse cosmique

○
Présentation de diatomées et autres
matériaux, Watson & Sons, v. 1885

□
Villes bactériennes, boîtes de Petri du physicien
et biologiste Eshel Ben-Jacob, 2013

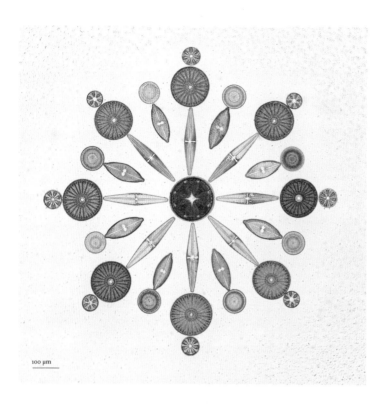

100 µm

○
Diatomées disposées sur
des lames de microscope,
California Academy of
Sciences Diatom Collection ;
en haut : photographie de
diatomées disposées sur une
lame de microscope par
W. M. Grant, lame CASG
n° 351040, photo n° 001702D ;
en bas : photographie de
diatomées provenant de Russie
disposées sur une lame de
microscope en 1952 par
A. L. Brigger, lame CASG
n° 351069, photo n° 001705D ;
échelle = 100 µmw

□
Photomicrographie en fond
noir de diatomée fossilisées,
Lomita, Californie, USA

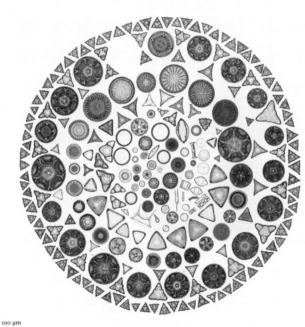

100 µm

○

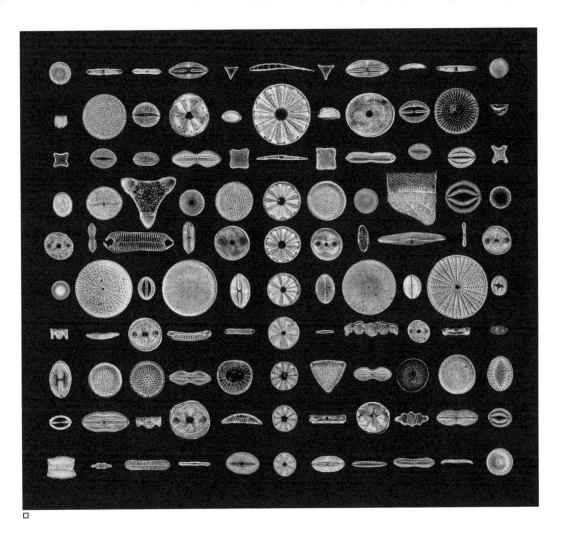

□

« Nous ne pouvons sonder la complexité merveilleuse d'un être organisé. […] Il faut considérer chaque être vivant un microcosme – un petit univers, composé d'une foule d'organismes aptes à se reproduire par eux-mêmes, d'une petitesse inconcevable, et aussi nombreux que les étoiles du firmament. »

Charles Darwin, *De la variation des animaux et des plantes sous l'action de la domestication*, 1868

○

La Danse cosmique

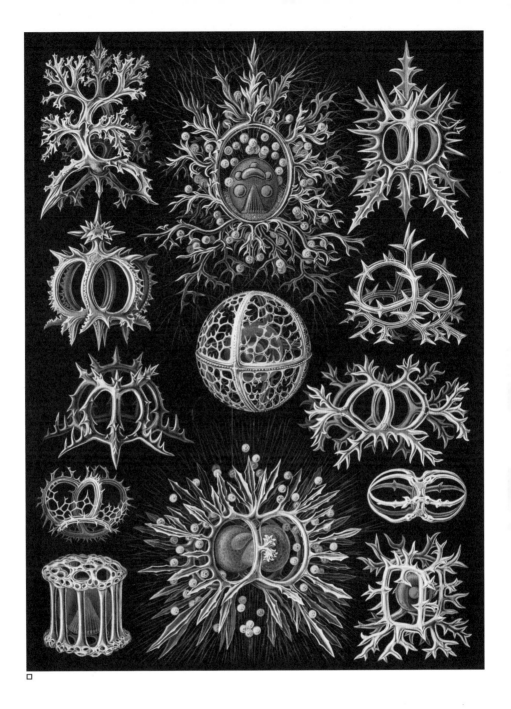

« Radiolaria », planche extraite du
Monde de la mer, Alfred Frédol, 1866

□
« Stephoidea », planche extraite de
*Kunstformen der Natur (Formes artistiques
de la nature)*, Ernst Haeckel, 1904

○

○
« Acanthophracta », planche extraite de
*Kunstformen der Natur (Formes artistiques
de la nature)*, Ernst Haeckel, 1904

▢
Group IV, The Ten Largest, No. 7, Adulthood,
Hilma af Klint, 1907

*« Où finit le téléscope, le microscope
commence. Lequel des deux a la
vue la plus grande ? Choisissez.
Une moisissure est une pléiade
de fleurs ; une nébuleuse est une
fourmilière d'étoiles. »*

Victor Hugo, *Les Misérables*, 1862

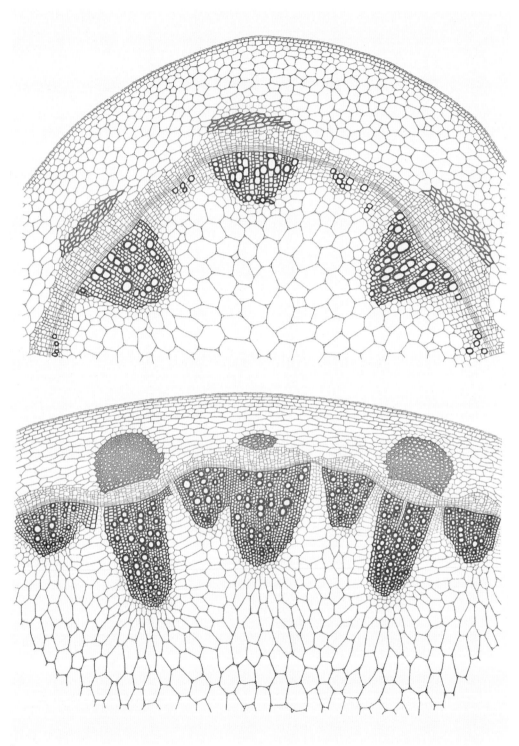

o

La Danse cosmique

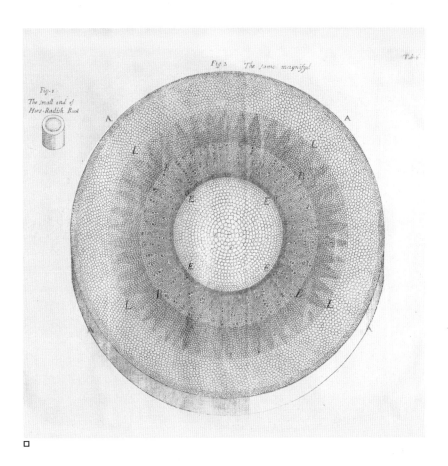

« *Il n'y a rien que tu puisses voir qui
ne soit une fleur ; il n'y a rien que
tu puisses penser qui ne soit la lune.* »

Matsuo Bashō, *Cent Cinq Haïkaï*

○
Plan de coupe de la tige d'une plante
dicotylédone, *Anatomia Vegetal
(Anatomie végétale)*, Frederik Elfving,
1929

□
Plan de coupe d'une plante, *Anatomy
of Plants*, Nehemiah Grew, 1680

L'univers infinitésimal

○

○
Carnaval d'oignons, tirage gélatino-
argentique, Midori Shimoda, début
des années 1930

□
Throbbing Pulse,
Louise Bourgeois, 1944

La Danse cosmique

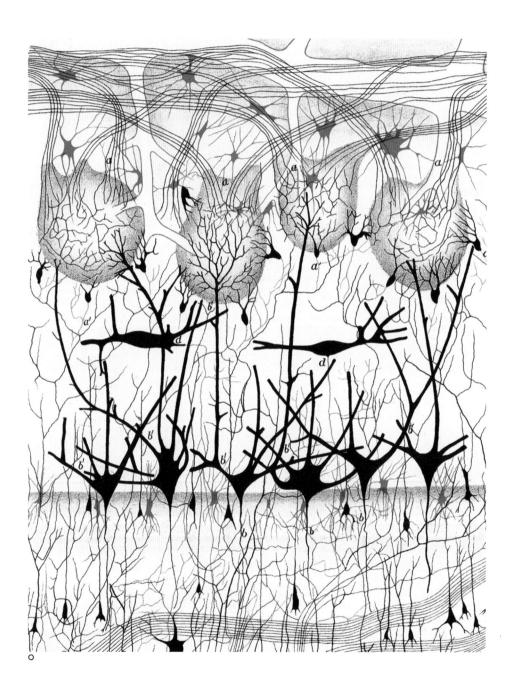

○

« *Tous les oiseaux qui volent ont à la patte le fil de l'infini. La germination se complique de l'éclosion d'un météore et du coup de bec de l'hirondelle brisant l'œuf, et elle mène de front la naissance d'un ver de terre et l'avènement de Socrate.* »

Victor Hugo, *Les Misérables*, 1862

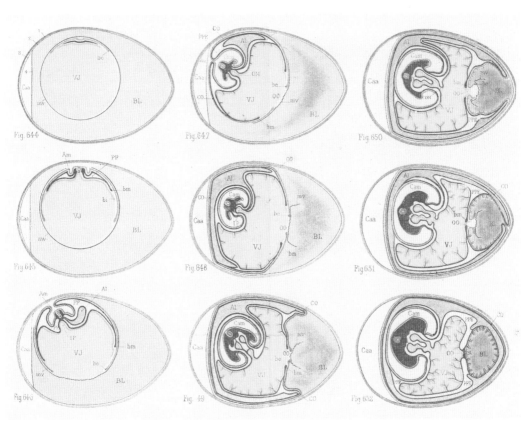

○

□

Cellule de Purkinje de cervelet humain,
Santiago Ramón y Cajal, 1899

Sans titre, n° 7/14, *À l'infini* (première série),
Louis Bourgeois, 2008

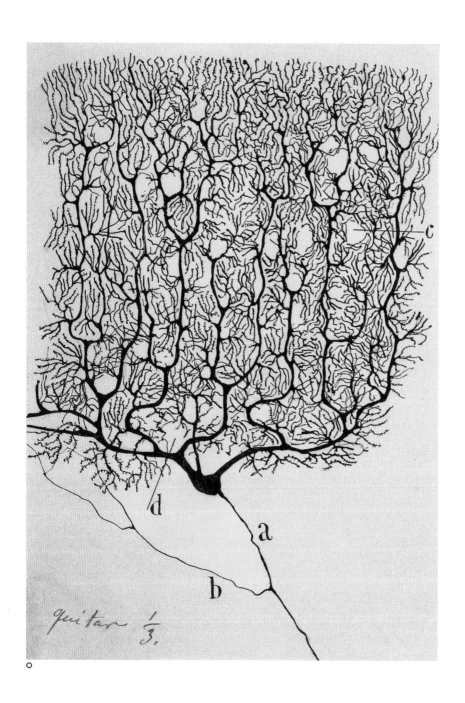

○

La Danse cosmique

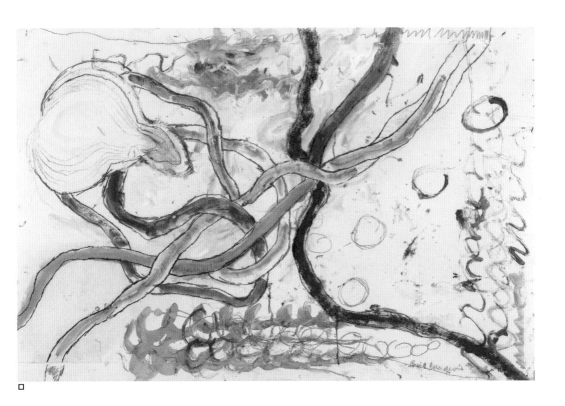

SANTIAGO RAMÓN Y CAJAL (1852-1934) fit œuvre de pionnier dans l'exploration des structures microscopiques du système nerveux, en particulier du cerveau et de la colonne vertébrale. En 1887, en utilisant la coloration de Golgi, il observa de discrètes cellules, ou neurones, présentant chacune des branches poussant à partir d'un corps cellulaire et dotées d'un long appendice filiforme appelé axone, et dont il exécuta des dessins détaillés. Il avança la théorie selon laquelle les cellules nerveuses n'appartenaient pas à un réseau unique et continu, comme on le pensait jusqu'alors, mais formaient un ensemble de milliers de cellules distinctes séparées par des interstices appelés synapses. En 1906, il reçut avec Camillo Golgi le prix Nobel de physiologie ou médecine pour ses travaux, qui jetèrent les fondements de la théorie neuronale.

« *Rien ne naît là où il n'existe ni fibre sensitive ni vie rationnelle. Les plumes poussent sur les oiseaux et se renouvellent tous les ans ; le poil pousse sur les animaux, et change chaque année.* »

Léonard de Vinci, *Carnets*

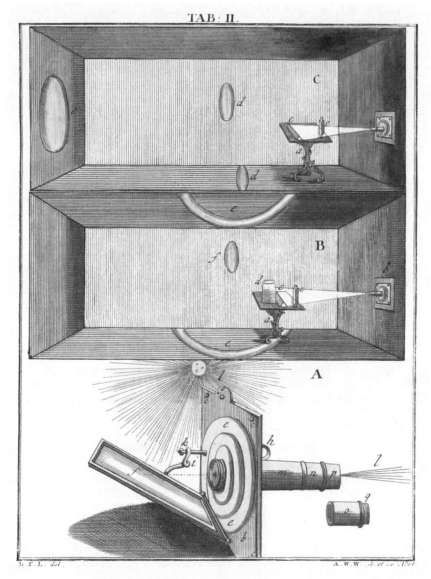

TAB: II.

La Danse cosmique

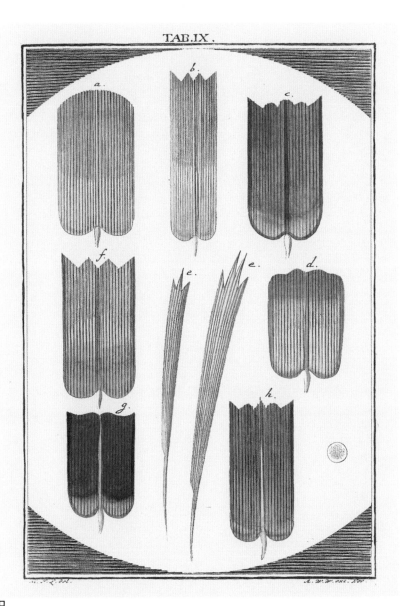

□

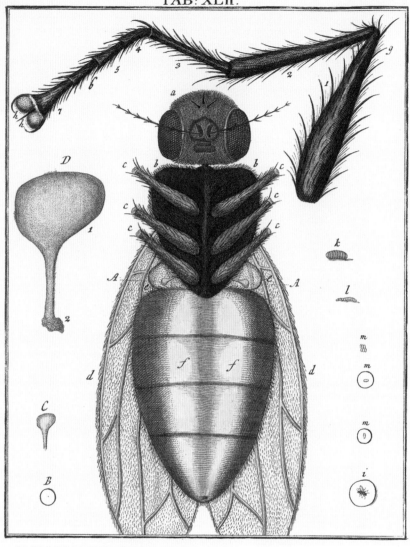

○

Représentation d'une mouche (planche XLII),
Adam Wolfgang Winterschmidt d'après
Martin Frobenius Ledermüller, 1768

□

Représentation d'une mouche (planche
XXXVII), Adam Wolfgang Winterschmidt
d'après Martin Frobenius Ledermüller, 1768

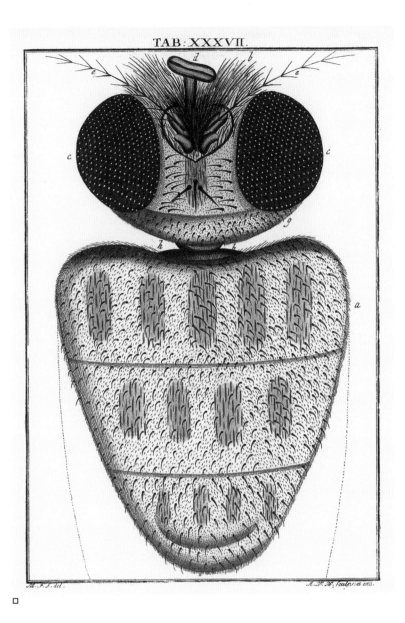

« Rien ne rend plus humble que de regarder avec une forte loupe un insecte si minuscule que l'œil nu n'en voit que la plus petite tache et de découvrir qu'il est néanmoins sculpté, articulé et couvert de rayures avec le même soin et la même imagination qu'un zèbre. »

Rudolf Arnheim, *Parables of Sun Light*, 1989

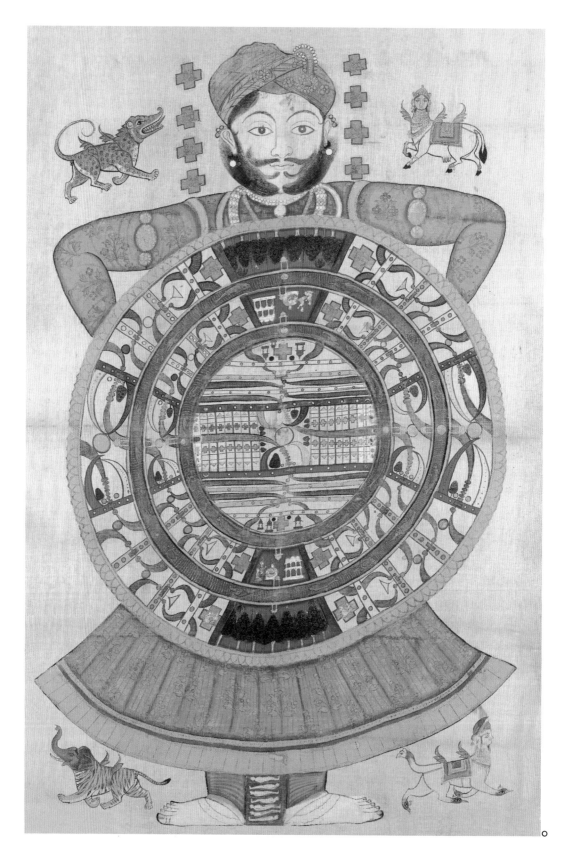

o

2. Dieu en miniature

« *La peau est comme le ciel, la chair comme la terre, les os comme les montagnes, les veines comme les fleuves, le sang dans le corps comme l'eau de la mer, le ventre comme l'océan, les cheveux comme les plantes, et le souffle qui entre et sort comme le vent.* » △

○
Représentation à l'encre et à la gouache
de Loka Purusha, Rajasthan, Inde, v. 1900

△
Bundahishn, une collection du
Cosmogonie de Zoroastre, 1540

Selon la mythologie chinoise chaque partie du corps de l'être primordial Pangu, ou Homme cosmique, est devenue un élément particulier de la Terre et du ciel : son œil gauche est devenu le soleil, et le droit, la lune ; ses os se sont transformés en montages et rochers, sa chair est devenue la terre et ses veines, les rivières. Dans les premiers textes védiques, Purusha est l'être cosmique créateur de toute vie. Platon (428/427-348/347 av. J.-C.) considérait le monde comme un être vivant. Dans le *Timée* (v. 360 av. J.-C.), il soutient que le créateur de l'univers physique est un démiurge ou un dieu qui a « mis l'intelligence dans l'âme, et l'âme dans le corps » afin de créer un tout intelligent et ordonné à partir du chaos. Il aurait créé l'univers à partir des quatre éléments – feu, terre, eau et air – en forme de globe, la forme géométrique la plus parfaite. Ensuite il aurait créé l'âme de l'univers et réparti la matière entre les planètes. Enfin il aurait relié le corps et l'âme de l'univers en plaçant l'âme en son centre et en la faisant rayonner dans toutes les directions jusqu'à ce que chaque partie en soit imprégnée. Timée explique ensuite que la structure du corps humain correspond exactement à celle de l'univers ; que c'est un *mikros kosmos*, ou « petit monde », du *makros kosmos*, ou « grand monde ».

o

Le père de la médecine moderne, Hippocrate (v. 460-370 av. J.-C.) considérait la santé et la maladie comme des phénomènes naturels qui suivaient les mêmes lois naturelles que le reste de l'univers. Il pensait que le corps humain renfermait quatre fluides corporels ou humeurs – la bile noire, la bile jaune, le phlegme et le sang – qui, dans un organisme en bonne santé, sont équilibrés à parts égales. Un excès ou un manque de l'une de ces quatre humeurs peut provoquer une émotion extrême, et également rendre l'organisme plus vulnérable à telle ou telle maladie. Quand une personne tombe malade, c'est que les humeurs ont été déséquilibrées, peut-être en raison de facteurs environnementaux ou d'un changement de régime alimentaire, et par conséquent le traitement doit tendre à les ramener à un équilibre parfait. L'influent médecin grec Galien (129-v. 216 av. J.-C.) poussa plus avant cette théorie, liant les quatre humeurs à des types de tempérament. Lorsqu'une humeur domine chez un individu, son tempérament reflétera les caractéristiques de cette humeur : un excès de bile, par exemple, donnera un tempérament mélancolique.

Les traditions hindoue et bouddhiste considèrent qu'un lien fort entre le corps physique et le plan mental, appelé « corps subtil », est essentiel à la bonne santé. Le corps subtil est constitué de *nadis*, ou canaux d'énergie, reliés entre eux par des nœuds circulaires nommés chakras, dont les plus importants sont alignés le long de la colonne vertébrale. Chaque chakra peut être stimulé par la méditation, qui permet également de maintenir la circulation du flux d'énergie psychique entre les chakras, garantissant ainsi un équilibre parfait entre corps et esprit.

Galien adopta aussi la théorie platonicienne de l'âme tripartite exposée dans *La République* : la *logistikon*, ou raison, située dans la tête, le *thumoeides*, ou courage, situé dans la poitrine, et l'*epithumetikon*, ou désir, situé dans l'estomac. Platon reliait chaque partie de l'âme et du corps à différentes sections de la société. Dans le corps politique, la classe dirigeante s'identifie à la raison, la classe des guerriers au courage et les citoyens ordinaires au désir. Pour que la société (et l'individu) fonctionne de façon harmonieuse, les sections inférieures doivent remplir leur fonction première et obéir aux sections supérieures, tandis que la section supérieure doit diriger dans l'intérêt de tous. Thomas Hobbes (1588-1679) développera ce concept dans son *Léviathan* (1651), soutenant que tous les citoyens doivent se soumettre à l'autorité absolue d'un souverain ou d'un gouvernement, qui doit diriger dans l'intérêt de tous.

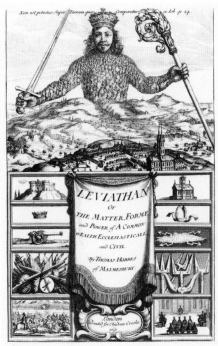

Le mathématicien et astrologue Claude Ptolémée (v. 100-v. 170 ap. J.-C.) attribuait l'un des quatre éléments à chacun des signes du Zodiaque. L'astrologue romain Marcus Manilius (Ier siècle ap. J.-C.) codifia ce système dans son poème épique *Astronomica*. L'astrologie antique pensait que chaque signe était gouverné par trois planètes, et que les parties du corps correspondaient à des signes astrologiques, depuis la tête (Bélier) jusqu'aux pieds (Poissons). La répartition des signes était indiquée dans une figure appelée Homme zodiacal. Beaucoup plus tard, au XIVe siècle, un schéma chirurgical baptisé L'Homme blessé devint extrêmement populaire. Il illustrait les blessures pouvant être causées à un individu par la guerre, la maladie ou un accident et proposait dans les textes accompagnant l'image un traitement possible pour chaque blessure ou affection.

L'astrologie médicale et les théories de Galien sur les humeurs et la structure du corps humain ne furent remises en question qu'au XVIe siècle, lorsque André Vesale (1514-1564) publia son ouvrage révolutionnaire sur

□

l'anatomie humaine, *De Humani Corporis Fabrica Libri Septem* (1543). Fondé sur la dissection du corps humain, il présente le corps comme une structure intégrée, maintenue en place par son système squelettique et garnie d'organes. L'ouvrage comporte des planches anatomiques détaillées de l'organisme avec des languettes que l'on peut soulever pour examiner le schéma de l'organe ou du muscle qui se trouve sous telle ou telle section de la peau. Vesalius observait que le corps humain « en bien des aspects correspond admirablement à l'univers et, pour cette raison, était appelé petit univers par les anciens ».

○

« Enfants du Soleil », tiré de *De Sphaera*, Cristoforo de Predis, v. 1465

□

Frontispice de *Utriusque Cosmi, Maioris scilicet et Minoris, metaphysica, physica, atque technica Historia (Le Cosmos géant, Histoire majeure et mineure, métaphysique, physique et technique)*, Robert Fludd, 1617

LE PHILOSOPHE ET PHYSICIEN PARACELSIEN ROBERT FLUDD (1574-1637) pensait que la lumière divine avait agi sur l'obscur chaos originel pour donner naissance à l'univers. Il professait que l'esprit divin s'était alors transposé dans le soleil, qui le transportait grâce à ses rayons jusqu'à la terre afin d'en irriguer toute vie. Le cœur était à l'homme ce que le soleil était à la terre, puisqu'il faisait circuler l'esprit divin dans l'organisme par l'intermédiaire du sang. Selon Fludd, l'esprit pouvait se corrompre en passant du macrocosme au microcosme, et envahir celui-ci sous la forme d'une maladie – laquelle était donc conçue comme un agresseur extérieur.

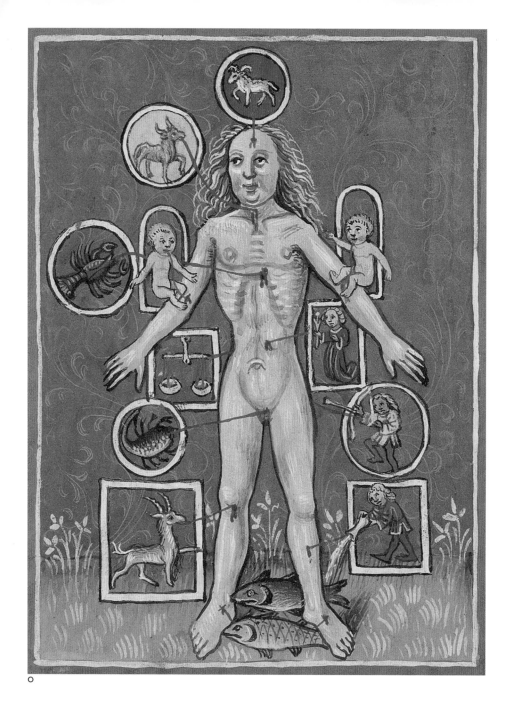

○

○
Homme zodiacal, illustration tirée de
Codex Schürstab (De l'influence des étoiles),
Nuremberg, Allemagne, v. 1472

□
Vénus, illustration tirée de *Codex Schürstab*
(De l'influence des étoiles), Nuremberg,
Allemagne, v. 1472

La Danse cosmique

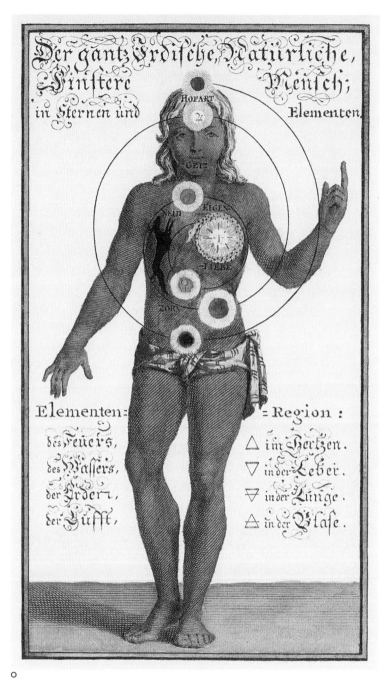

Der gantz Erdische, Natürliche, Finstere Mensch; in Sternen und Elementen.

HOFART

GEIZ

NEID   EIGEN

HERR

ZORN

Elementen=   = Region :

des Feuers,   △ im Hertzen.

des Wassers,   ▽ in der Leber.

der Erden,   ▽ in der Lunge.

der Lüfft,   △ in der Blase.

○

○   □

« L'Homme terrestre, naturel et sombre »,   Loka Purusha, gouache sur tissu,
illustration tirée de *Theosophia Practica*   nord de l'Inde, XXᵉ siècle
(Théosophie pratique), Johann Georg
Gichtel, 1723

LA FIGURE ARCHÉTYPALE DE L'HOMME COSMIQUE fait partie des mythes de création de nombreuses cultures. Selon la légende chinoise, l'être primordial Pangu créa l'univers puis, après sa mort, chaque partie de son corps constitua un partie physique de la terre. Dans l'Égypte antique, le dieu créateur Ptah fait naître l'univers par la puissance de la parole. Dans la mythologie indienne, Purusha est considéré dans un premier temps comme l'être cosmique qui créa toute vie, avant d'être identifié à un principe universel, éternel, sans forme et omniprésent. Dans la Kabbale, Kadmon est considéré à la fois comme la lumière divine de Dieu et comme l'homme originel.

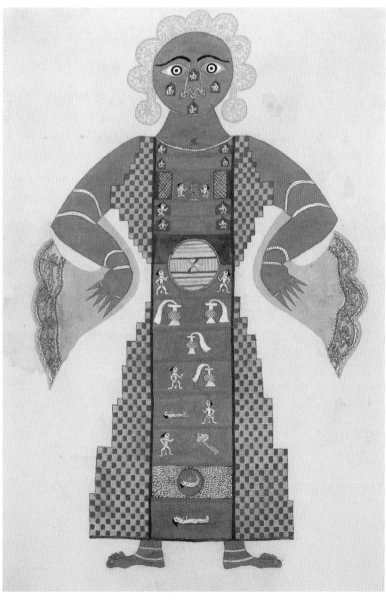

« Le lac de sang qui se trouve autour du cœur est l'océan.
Son souffle se traduit par l'élévation et l'abaissement du sang
dans le pouls, comme pour la terre le flux et le reflux de la mer. »

Léonard de Vinci, *Carnets*

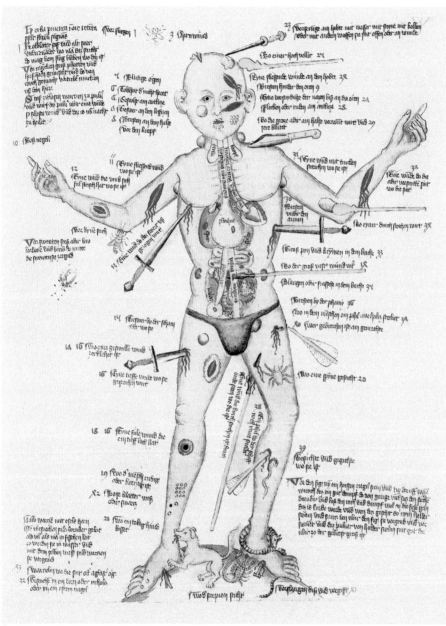

La Danse cosmique

Diagramme et texte relatifs à l'homme blessé,
section III de l'*Apocalypse* (Textes et dessins
médicaux et anatomiques), v. 1420

Femme avec soleil, lune et planètes
intérieures, *Grilandas inventum libri*,
Paolo Grillandi, 1506-1507

LE TRAITÉ HIPPOCRATIQUE *De la nature de l'homme* (entre 440 et 400 av. J.-C.) affirme que le corps humain contient quatre humeurs, ou fluides – sang, phlegme, bile jaune et bile noire –, chacune étant associée à un organe – le sang au cœur, le phlegme au cerveau, la bile jaune au foie et la bile noire à la vésicule. Le médecin grec Galien (129–v. 216 ap. J.-C.) poussa plus loin la théorie, attribuant à chaque humeur deux des qualités des quatre éléments – chaud ou froid et sec ou humide. Il soutenait que les quatre humeurs pouvaient être présentes en proportions et forces variables au sein du corps humain et qu'elles produisaient l'un des neuf tempéraments possibles, dont les plus extrêmes reflètent les noms des quatre humeurs elles-mêmes : sanguin, flegmatique, colérique et mélancolique.

○
Les quatre humeurs, *The Guildbook of the Barber Surgeons of York*, 1486

□
Feu, huile sur bois, Giuseppe Arcimboldo, 1566

Dieu en miniature

○
Mahākāla Yantra, pigments sur dais
en tissu, XVIIIe-XIXe siècle

□
Diagramme représentant la Transformation
des six chakras dans le yoga newar, Népal,
v. 1850

La Danse cosmique

LE TERME « CHAKRA » apparaît dans les textes védiques hindous (v. 1300-900 av. J.-C.) au sein du mot *chakravartin*, qui signifie « le roi qui fait tourner la roue ». Toutefois ce n'est pas avant le VIIIe siècle de notre ère que l'on trouve dans les textes hindous et bouddhistes le mot chakra faisant référence aux centres d'énergie vitale situés le long des canaux d'énergie, ou *nadis*, du « corps subtil » – la psyché non physique ou plan mental. On pensait généralement qu'il existait de quatre à sept chakras principaux disposés verticalement depuis la base de la colonne vertébrale jusqu'au sommet du crâne. Cependant, d'après certaines traditions hindoues, il existerait des milliers de chakras localisés dans les multiples *nadis* du « corps subtil ».

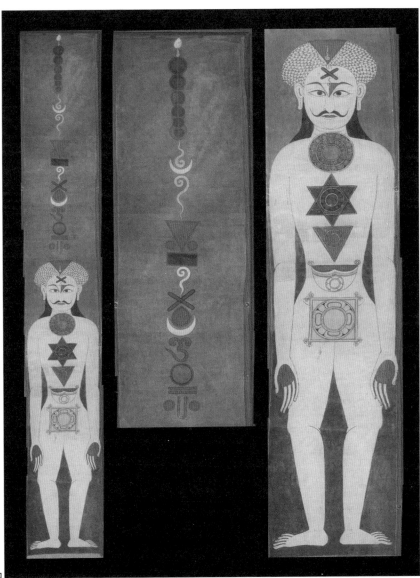

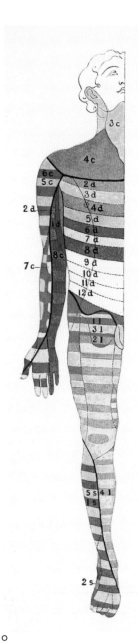

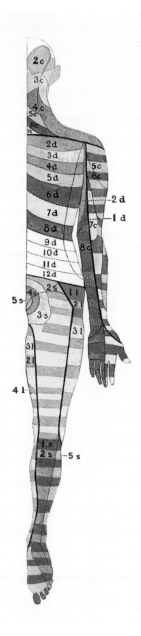

○

○
Illustration extraite de *A Practical Treatise on Medical Diagnosis for Students and Physicians*, John Herr Musser, 1904

□
« Aura humaine en fa dièse », *Psycho-Harmonial Philosophy*, Peter Pearson, 1910

La Danse cosmique

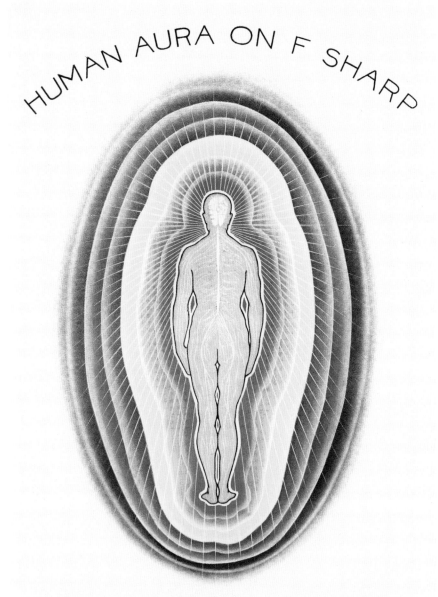

HUMAN AURA ON F SHARP

IN A PERFECT HUMAN BEING ON F SHARP THE PRISMATIC
COLORS IN THE AURA HAVE THE SAME POSITION
AS THEY HAVE IN THE RAINBOW

□

○

○
Kantha (courtepointe brodée), détail,
coton recyclé avec broderie en coton,
Bengale uni, v. 1900

□
Coiffe de danse du peuple sulka,
Nouvelle-Bretagne, archipel de
Papouasie-Nouvelle-Guinée, v. 1880

La Danse cosmique

« *La danse de Shiva est celle de l'univers, le flux incessant d'énergie parcourant une variété infinie de figures qui se fondent les unes dans les autres.* »

Fritjof Capra, *Le Tao de la physique*, 1975

○
Inauguration of the Pleasure Dome, avec
Anaïs Nin en Astarte, Kenneth Anger, 1954

□
Sans titre, crayons de couleur et feutres
sur carton, Janko Domsic, v. 1970

○

La Danse cosmique

« *Le moindre mouvement importe à toute la nature :*
la mer entière change pour une pierre. »

Blaise Pascal, *Pensées*, 1670

97

Awake! Awake Jerusalem! O lovely Emanation of Albion
Awake and overspread all Nations as in Ancient Time
For lo! the Night of Death is past and the Eternal Day
Appears upon our Hills! Awake Jerusalem, and come away

So spake the Vision of Albion & in him so spake in my hearing.
The Universal Father. Then Albion stretchd his hand into Infinitude,
And took his Bow. Fourfold the Vision for bright beaming Urizen
Layd his hand on the South & took a breathing Bow of carved Gold
Luvah his mind stretchd to the East & bore a Silver Bow bright shining
Tharmas Westward a Bow of Brass pure flaming richly wrought
Urthona Northward in thick storms a Bow of Iron terrible thundering

And the Bow is a Male & Female & the Quiver of the Arrows of Love
Are the Children of this Bow: a Bow of Mercy & Loving kindness: laying
Open the hidden Heart in Wars of mutual Benevolence Wars of Love
And the Hand of Man grasps firm between the Male & Female Loves
And he Clothed himself in Bow & Arrows in awful state Fourfold
In the midst of his Twenty-eight Cities each with his Bow breathing

○
« Réveille-toi, réveille-toi Jérusalem! »,
gravure en relief imprimée en orange avec
encre noire, aquarelle et or, *Jerusalem*,
William Blake, 1804-1820

□
*L'Empereur moghol Jahangir avec halo
rayonnant doré, tenant un globe*, portrait
grandeur nature à la gouache avec or et
coton, Abu al-Hasan, 1617

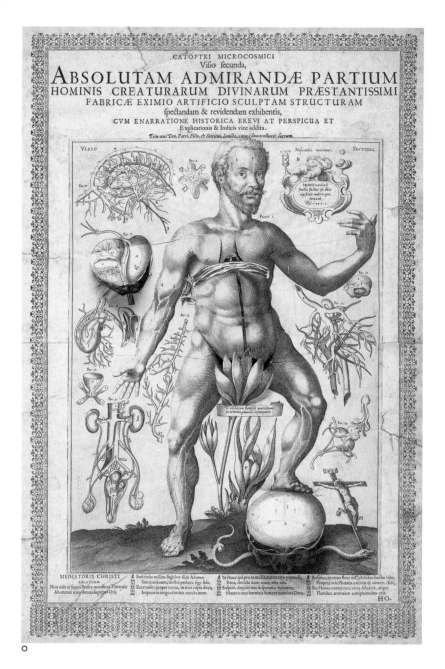

« L'anatomie doit être étudiée et enseignée, à l'aide, non des livres, mais des dissections, non des théories des philosophes, mais dans l'examen de la nature. »

William Harvey, *La Circulation du sang : des mouvements du cœur chez l'homme et chez les animaux*, 1628

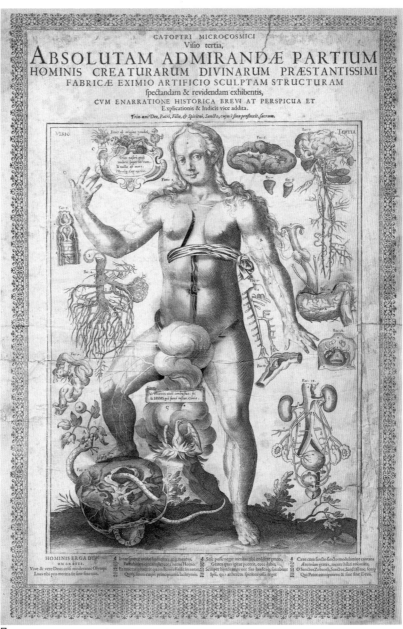

○
« Deuxième Vision », *Miroirs du microcosme*,
Lucas Kilian, 1613

▢
« Troisième Vision », *Miroirs du microcosme*,
Lucas Kilian, 1613

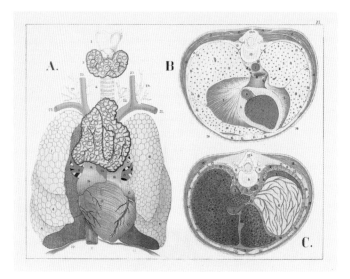

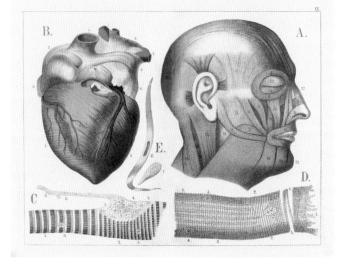

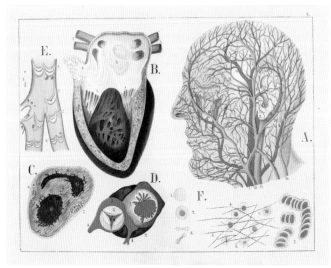

○

Planches extraites de *An Atlas of Anatomy*, Florence Fenwick Miller, 1879

□

La circulation du sang, cœur, poumons, artères et veines, *The Laws of Health*, Joseph C. Hutchison, 1884

○

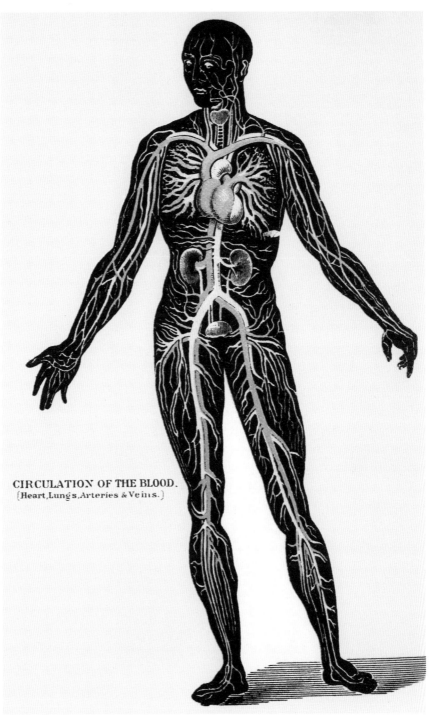

CIRCULATION OF THE BLOOD.
(Heart,Lungs,Arteries & Veins.)

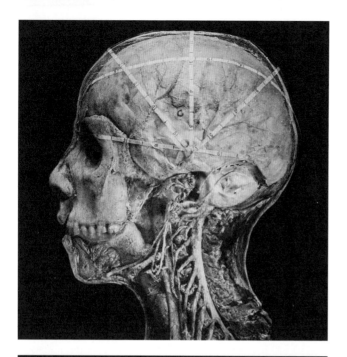

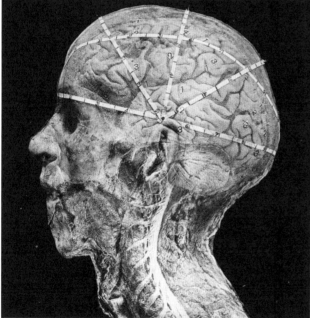

○

La Danse cosmique

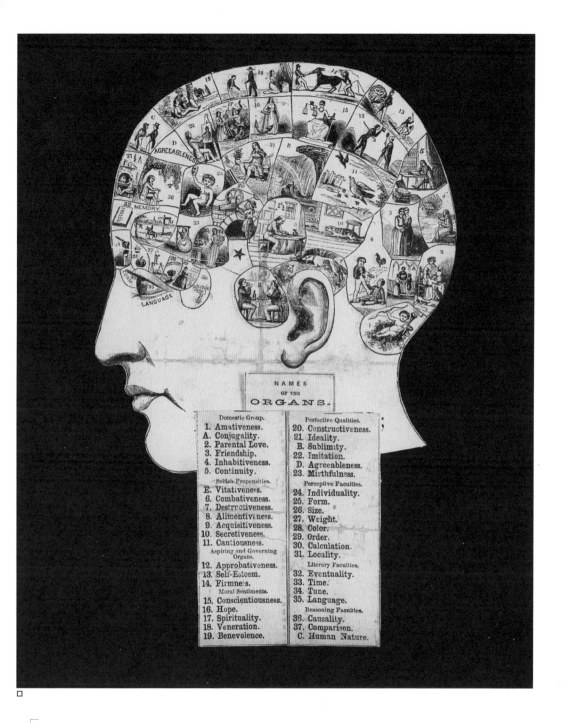

LA PHRÉNOLOGIE FUT DÉVELOPPÉE par le médecin allemand Franz Joseph Gall (1758-1828). Il pensait que l'esprit humain présentait une série de facultés mentales dont chacune était contenue dans un organe situé dans le cerveau sous une région spécifique du crâne. Selon lui, plus la région d'un trait particulier – par exemple la conscience – était vaste, plus grande était l'influence de ce trait sur la personnalité d'un individu.

« [La géométrie] est co-éternelle avec l'esprit de Dieu. [...] La géométrie
a fourni à Dieu un modèle pour la Création et a été implantée dans
l'homme, en même temps que la propre ressemblance de Dieu. »

Johannes Kepler, *Harmonices mundi*, 1619

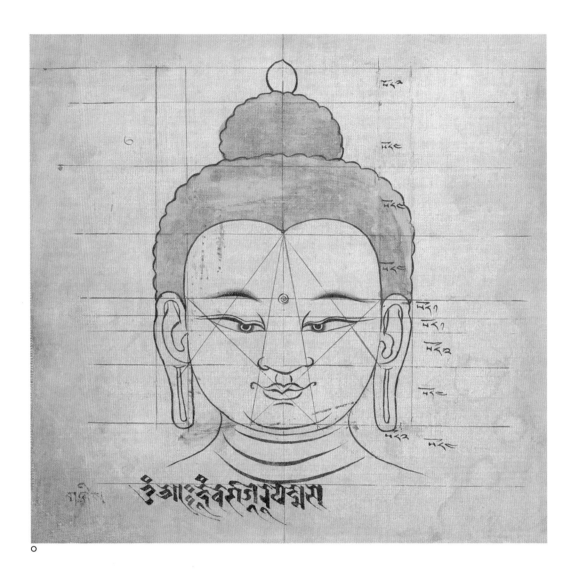

O
Comment dessiner le Bouddha,
Le Livre tibétain des proportions,
XVIIIᵉ siècle

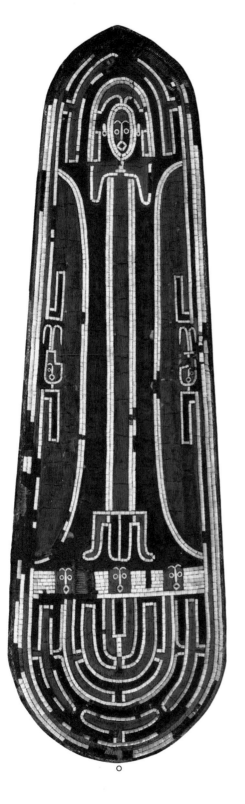

○

Bouclier cérémonial, île Santa Isabel, archipel
des îles Solomon, v. 1800

□

Masque *(murua)*, Nouvelle-Irlande, archipel
de Papouasie-Nouvelle-Guinée, v. 1890

« *Je suis sec comme une image
sculptée, seule ma tête est celle
de Dieu.* »

Kumalau Tawali, « The Old Woman's Message »,
Signs in the Sky, 1970

La Danse cosmique

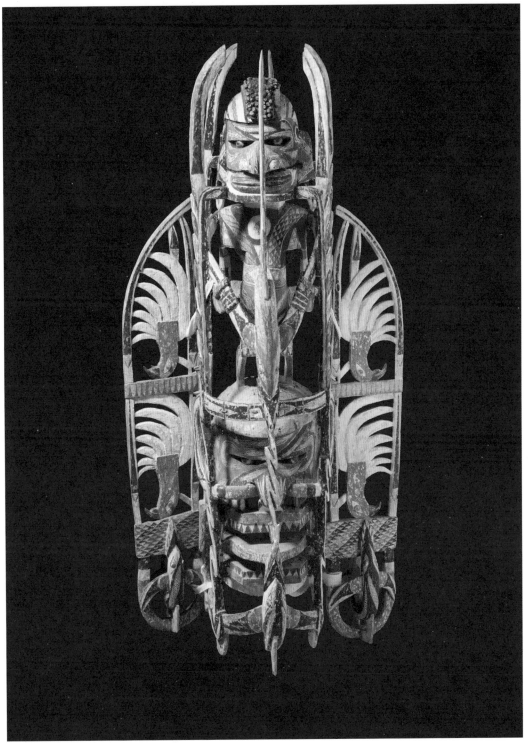

3. Proportions divines

« La géométrie est une brillance unique et éternelle dans l'esprit de Dieu. La part qui en est accordée aux humains est l'une des raisons pour lesquelles l'humanité est à l'image de Dieu. » [△]

○
Peinture à l'acrylique de Herbert Bayer illustrant une idée d'Alfred North Whitehead (1861–1947) : « L'art du progrès est de préserver l'ordre au sein du changement et de préserver le changement au sein de l'ordre, *Great Ideas of Western Man*, 1964

△
Johannes Kepler, *Harmonices mundi*, 1619

En cherchant à résoudre les secrets de l'univers et à explorer les correspondances entre macrocosme et microcosme, les philosophes, scientifiques et artistes se sont fréquemment tournés vers les mathématiques. Beaucoup se sont déclarés d'accord avec l'astronome Galilée (1564-1642), qui affirmait que le « grand livre » de l'univers était « écrit en langage mathématique ».

L'importance des mathématiques dans la compréhension de l'univers était évidente aux yeux des anciens Grecs. Les pythagoriciens étaient inspirés par la croyance selon laquelle « tout est nombre » ; pour eux, les concepts d'harmonie, de ratio et de proportion étaient essentiels. Pour Pythagore (v. 570-495 av. J.-C.), les mathématiques étaient à la base des principes d'harmonie musicale, elle-même partie intégrante des fondements mathématiques de l'univers. Il développa la théorie de la musique des sphères, ou harmonie des sphères, avançant que le soleil, la lune et les planètes émettaient chacun un son unique fondé sur la vitesse de leur révolution. Ensemble, soutient-il, ces sons produisent une musique harmonieuse qui, quoique imperceptible à l'oreille humaine, affecte la vie sur Terre. L'astronome Johannes Kepler (1571-1630) développa cette théorie dans son livre *Harmonices Mundi* (1619), dans lequel il établit des liens entre astronomie, musique et géométrie. Il y décrit Saturne et Jupiter en bassistes, Mars en ténor, Vénus et la Terre comme deux altos, et Mercure en soprano. Ensemble, les planètes chantent en « parfait accord ». La musique harmonieuse dispensée sur terre reflète les sons harmonieux des cieux, reliant l'humanité à Dieu, créateur de tout.

Platon (428/427-348/347 av. J.-C.) pensait que cinq formes tridimensionnelles – les solides de Platon – formaient les blocs constitutifs fondamentaux de notre réalité physique. Il associa les quatre premières formes aux quatre éléments : le cube

○

Illustration tirée de *Harmonices mundi*, Johannes Kepler, 1619

□

Le Modulor, Le Corbusier, 1945

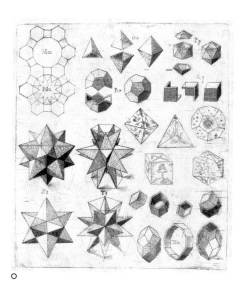

○

représentait la terre, le tétraèdre le feu, l'icosaèdre l'eau et l'octaèdre l'air. Il associait la cinquième forme, le dodécaèdre, au ciel – ses douze faces correspondant aux douze signes du Zodiaque. Le dôme, utilisé à l'origine dans l'architecture des tombes du monde antique, était également associé au ciel et à la perfection dans sa forme circulaire. À la Renaissance, l'architecte Filippo Brunelleschi (1377-1446) dessina et construisit pour la cathédrale de Florence la structure en dôme la plus ambitieuse depuis l'Antiquité. Elle mesure près de 80 mètres de haut pour une base octogonale de 42 m de diamètre – soit plus que le dôme du Panthéon. Brunelleschi fut le premier à étudier la perspective linéaire, ouvrant la voie à l'architecte Leon Battista Alberti (1404-1472) qui décrivit les expérimentations de Brunelleschi et définit les règles de la perspective dans son ouvrage *De Pictura* (1435).

Les propriétés harmonieuses du nombre d'or ont été étudiées depuis Euclide (v. 325-270 av. J.-C.). Un ratio d'or, ou nombre d'or, est obtenu lorsque, dans les deux sections d'une ligne, la plus petite section possède la même proportion par rapport à la grande section que celle-ci par rapport à la somme des deux sections de la ligne. Un rectangle d'or se compose d'un carré et d'un plus petit rectangle ayant le même ratio d'aspect. Les artistes et les architectes, parmi lesquels Léonard de Vinci et Le Corbusier, ont utilisé ce procédé pour créer une impression d'harmonie et de proportion dans leurs œuvres. Les mathématiques sous-tendant la création divine sont également révélées par une séquence récurrente de nombres découverte à l'origine dans l'Inde ancienne. Introduite en Occident par le mathématicien Léonard de Pise (v. 1170-1250) – appelé plus tard Fibonacci – dans son *Liber Abaci* (1202), la suite de Fibonacci est une séquence où chaque nombre est la somme des deux nombres précédents. Le rapport entre deux nombres consécutifs de la suite se rapproche du ratio d'or. La spirale d'or – une spirale logarithmique dans laquelle le facteur de croissance est le nombre d'or – se retrouve également dans la nature, l'exemple le plus frappant étant la coquille du nautile. On peut trouver des exemples de fractales naturelles – un motif répété à une échelle toujours plus petite – dans les motifs de ramification des arbres ou dans les feuilles des fougères.

Les travaux de Fibonacci ont eu une influence majeure sur le mathématicien Luca Pacioli (1447-1517), dont le *De Divina Proportione* (1509) examine la proportion et ses applications à la géométrie, aux arts visuels et à l'architecture. Illustré par Léonard de Vinci (1452-1519), qui appelait le ratio d'or la « section d'or », le traité relie la géométrie à la compréhension du cosmos et de Dieu. Explorant la géométrie de la nature dans *Le Jardin de Cyrus* (1658), le

médecin et historien de la nature Thomas Browne (1605-1682) identifia un motif récurrent, le quinconce, dans de nombreuses formes naturelles, parmi lesquelles l'étoile de mer et les ailes de mouche.

La tessellation – motif répétitif de formes géométriques ne présentant aucun recouvrement ni interstices – a été utilisée depuis l'Antiquité classique pour créer des pavages décoratifs en mosaïque et est particulièrement fréquente dans l'architecture islamique. Seules trois formes géométriques peuvent former une tessellation régulière : le triangle équilatéral, le carré et, comme le montre le nid d'abeilles dans la nature, l'hexagone. Les tessellations irrégulières, en revanche, peuvent être obtenues à partir de n'importe quelle forme géométrique. Inspiré par les tessellations qu'il avait observées dans les pavages du palais de l'Alhambra en Espagne, l'artiste M. C. Escher (1898-1972) a composé des motifs de tessellations à partir de figures emboîtées d'animaux. Escher a également exécuté des dessins dits impossibles qui jouent avec l'architecture, la perspective et les formes mathématiques pour créer des illusions déroutantes et des univers parallèles qui présentent pourtant une stricte logique interne.

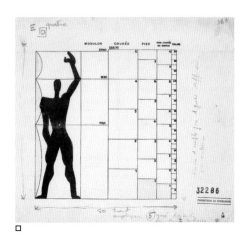

« *J'ai découvert dans la nature les délices non utilitaires que je recherchais dans l'art. Les deux étaient une forme de magie, un jeu d'enchantement et de tromperie complexes.* »

Vladimir Nabokov, « Papillons », 1948

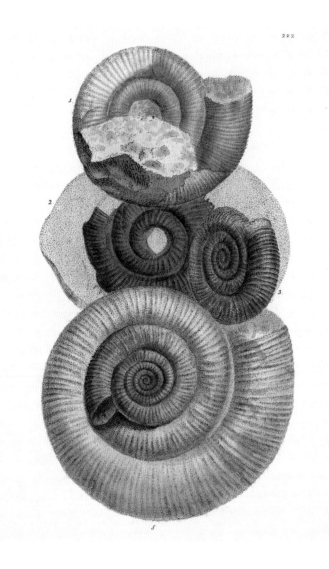

○
Représentation de fossiles dans *The Mineral Conchology of Great Britain*, James Sowerby, 1810-1845

□
Dessin anatomique de papillon, Vladimir Nabokov, XXᵉ siècle

La Danse cosmique

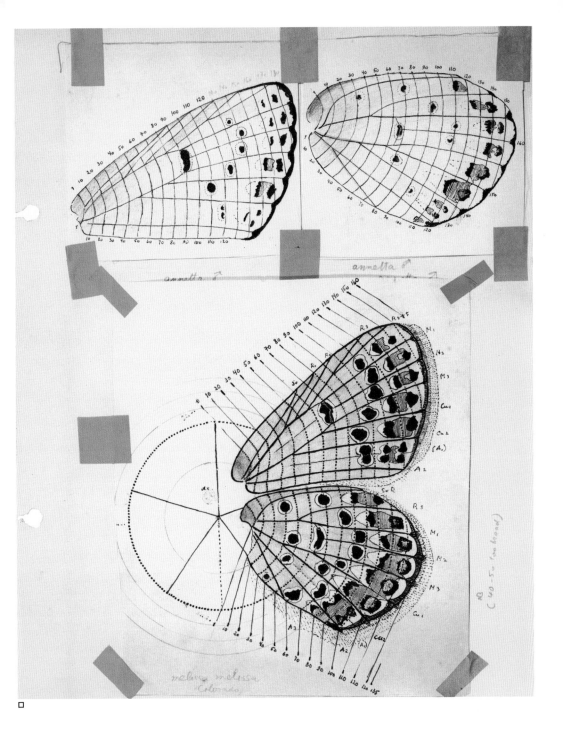

○

« J'ai [...] ramassé des coquillages, des
pierres et des morceaux de bois [...].
J'ai utilisé ces choses pour dire ce qu'est
pour moi l'étendue et la merveille du
monde tel que celui dans lequel je vis. »

Georgia O'Keefe, *Some Memories of Drawings*, 1974

○
White Shell with Red,
Georgia O'Keeffe, 1938

□
Radiographie d'une
coquille de tonnidae,
publiée par Koralle, 1932

La Danse cosmique

Strombiformes, or Needle-shaped Shells.

○

○
Illustration extraite de l'*Encyclopaedia Londinensis, or, Universal Dictionary of Arts, Sciences, and Literature*, John Wilkes, 1810

□
Kapkap, ornement constitué de coquilles de palourde, d'écailles de tortue, de corde et de perles de coquillage, archipel des îles Solomon, XIXᵉ siècle

La Danse cosmique

« *E canchis amnia* (tout vient des coquillages) »

Erasmus Darwin, devise familiale (tirée d'un ex-libris), 1770

« *Comment ne voyait-on pas que c'est aux fossiles seuls qu'est due la naissance de la théorie de la terre.* »

Georges Cuvier, *Discours sur les révolutions de la surface du globe*, 1825

1803 Published by Jas Sowerby London.

○

Illustration tirée de *British Mineralogy:*
or Coloured Figures Intended to Elucidate
the Mineralogy of Great Britain,
James Sowerby, 1804

□

Escalier en spirale du château Hartenfels,
Torgau, Allemagne, conçu par Konrad Krebs
et construit entre 1533 et 1537

Proportions divines   117

○
*Une perspective d'une coquille d'escargot
à facettes en équilibre sur une pyramide*,
Mathis Zündt, d'après Hans Lencker, 1567

□
La Spirale d'or, plaine de Marha, Maroc,
Hannsjörg Voth, 1980-1987 (photographie
d'Ingrid Amslinger)

La Danse cosmique

○
Planche conçue pour l'*Atlas Anatomico*
(non publié), Crisóstomo Martínez,
v. 1680-1694, imprimé en 1740

□
*Unterweisung der Proportion und Stellung
der Possen* (Instructions sur les proportions et
positions des modèles), Erhard Schön, 1542,
réimpression en 1920

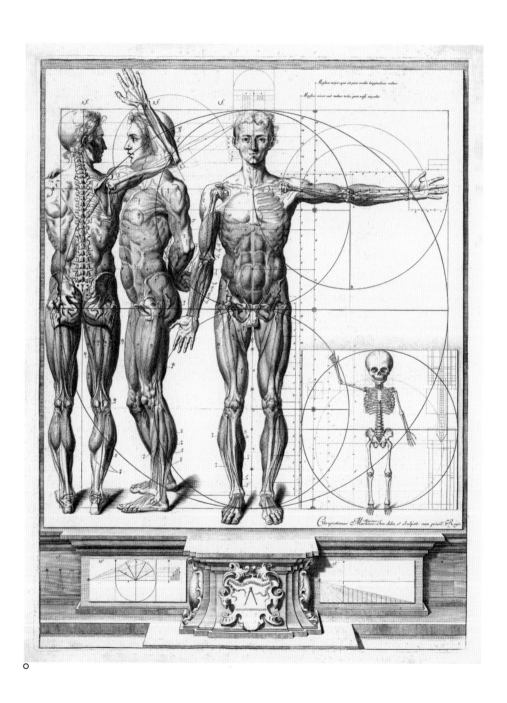

○

La Danse cosmique

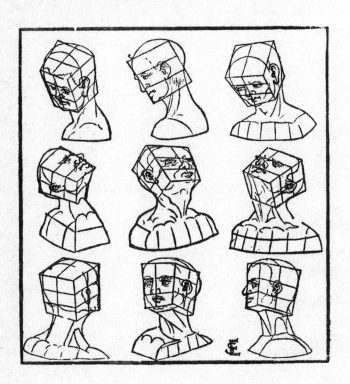

Die dryt vigur.

Hie hab ich Neun angesiche mit Irer virung das du siche wie vnnd wa sy hin treffenn mit irem habestriches vber sich, neben sich vnnd fursich wie du sy dan sichts.

« *Bien que libres de penser et d'agir, nous sommes tenus ensemble, comme les étoiles dans le firmament, avec des liens inséparables. Ces liens ne peuvent être vus, mais nous pouvons les sentir.* »

Nikola Tesla, « The Problem of Increasing Human Energy », 1900

o

LES APPAREILS POUR MESURER LE TEMPS, tels que le cadran solaire ou la clepsydre, existent depuis environ 1500 av. J.-C. et étaient déjà en usage dans l'Égypte ancienne et à Babylone. Un cadran solaire se compose d'une table, où sont tracées les lignes horaires, et d'un *gnomon*, ou tige verticale, qui projette son ombre sur la table. À mesure que le soleil se déplace dans le ciel, l'ombre du *gnomon* progresse sur le cadran et indique l'heure. Les cadrans étaient divisés en douze segments égaux et fonctionnaient du lever au coucher du soleil, ce qui veut dire que les heures étaient plus courtes en hiver qu'en été. Une clepsydre fonctionne de jour comme de nuit, mais dépend d'un apport d'eau régulier dans un contenant où sont gravés des repères.

○

« Un tableau des temps », *Mitchell's New General Atlas*, Samuel Augustus Mitchell Jr, 1863

□

« Un cadran solaire de la forme d'un bol », *Ars Magna lucis et umbrae (Le Grand Art de la lumière et de l'ombre)*, Athanasius Kircher, 1646

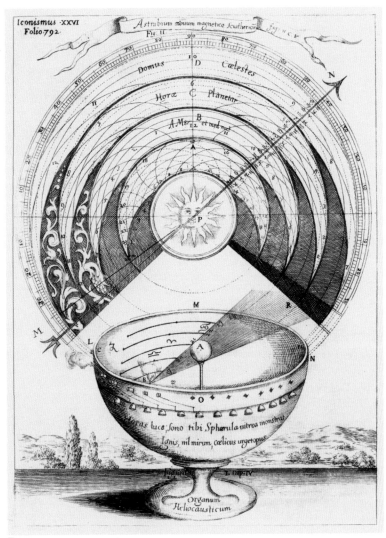

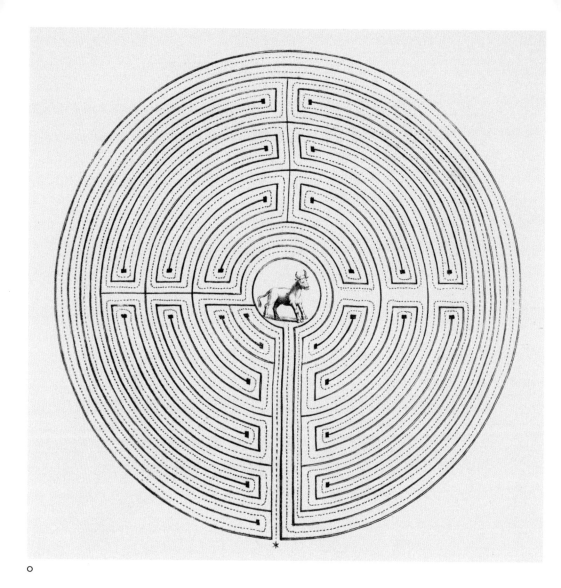

○

○
Labyrinthe, Athanasius Kircher,
années 1670

□
*Art optique géométrique généré
par ordinateur*, 2012

La Danse cosmique

« *Je pensai à un labyrinthe de labyrinthes, à un sinueux labyrinthe croissant qui embrasserait le passé et l'avenir et qui impliquerait les astres en quelque sorte.* »

Jorge Luis Borges, Le *Jardin aux sentiers qui bifurquent*, 1941

O

126   La Danse cosmique

○
Motif décoratif radial à l'intérieur
d'un dôme de la mosquée Shah Jahan,
Thatta, Sindh, Pakistan, 1647

□
Illustration appartenant à une collection
de dessins de géométrie et de perspective
conservée à la Herzog August Bibliothek,
XVIᵉ siècle

□

« *J'aime la simplicité du cube parce que c'est une forme géométrique très claire, et j'aime la géométrie parce que c'est l'étude de la structure de l'univers entier.* »

Erno Rubik, cité dans un article de CNN (« The little cube that changed the world »), 2012

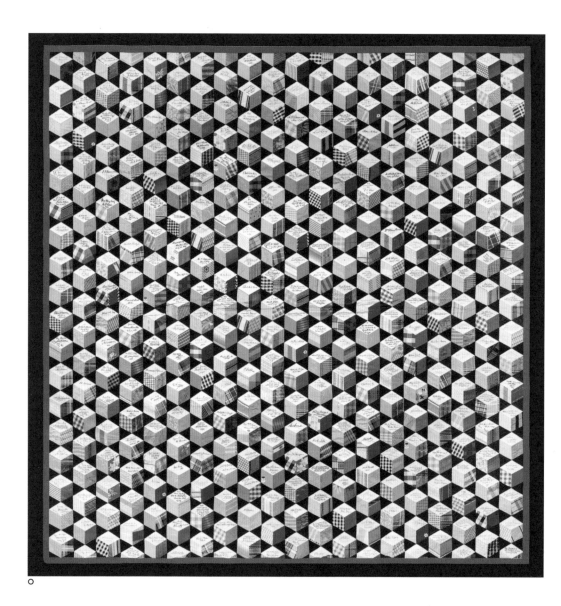

o

La Danse cosmique

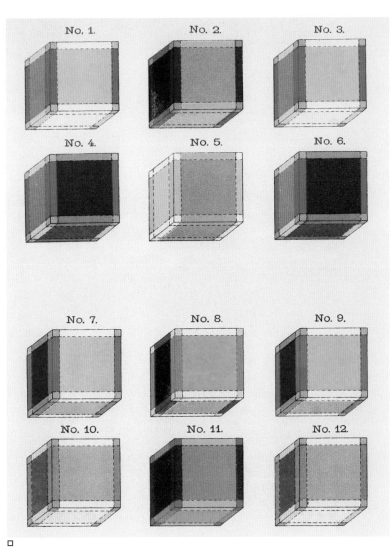

No. 1. No. 2. No. 3.

No. 4. No. 5. No. 6.

No. 7. No. 8. No. 9.

No. 10. No. 11. No. 12.

○
Courtepointe, motifs de blocs avec signatures
de huit présidents des États-Unis et figures
clés du monde scientifique et artistique,
Adeline Harris Sears, commencée en 1856

□
Frontispice représentant des cubes
colorés, ou tesseracts, *The Fourth
Dimension*, Charles Howard Hinton,
1904

GEOMETRICA ET PERSPECTIVA
CORPORA REGVLATA ET
IRREGVLATA.

o

« *Je prends le risque de penser que la
nature dans son intégralité et le ciel
gracieux sont symbolisés dans l'art
de la géométrie.* »

Johannes Kepler, *Tertius interveniens,* 1610

La Danse cosmique

○
Illustration extraite de *Geometria et perspectiva:*
Corpora regulata et irregulata, Lorenz Stöer,
fin du XVIe siècle

□
Somnium (Ref 5), Laurent Millet, 2015

□

○
Illustrations extraites de *Summa de arithmetica,*
geometrica, proportioni et proportionalita,
Luca Pacioli et Léonard de Vinci, 1494

□
Cercles dans un cercle,
Vassily Kandinsky, 1923

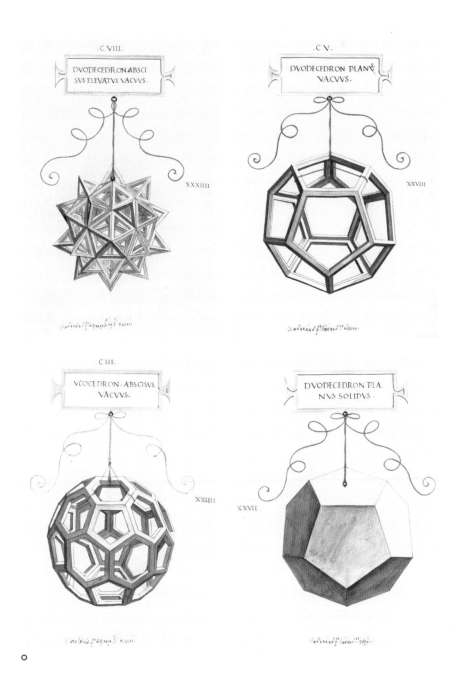

○

La Danse cosmique

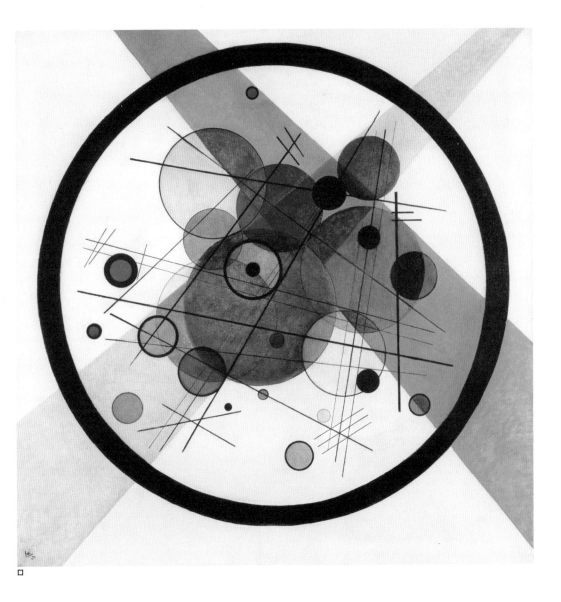

« Le contact de l'angle aigu d'un triangle avec un cercle
n'a pas d'effet moindre que celui du doigt de Dieu avec
le doigt d'Adam chez Michel-Ange. »

Vassily Kandinsky, « Poetry and Painting », 1959

« *Le plan incessant du monde,*
ne s'arrête jamais sous une forme,
mais s'échappe à jamais,
comme une vague ou une flamme,
dans de nouvelles formes [...]. »

Ralph Waldo Emerson, *Notes de bois,* 1841

○

La Danse cosmique

Illustration appartenant à une collection de dessins de géométrie et de perspective conservée à la Herzog August Bibliothek, XVIᵉ siècle

Polyhèdre tiré de *Vielecke und Vielflache: Theorie und Geschichte (Polygones et Polyèdres : Théorie et histoire)*, Max Brückner, 1900

Proportions divines

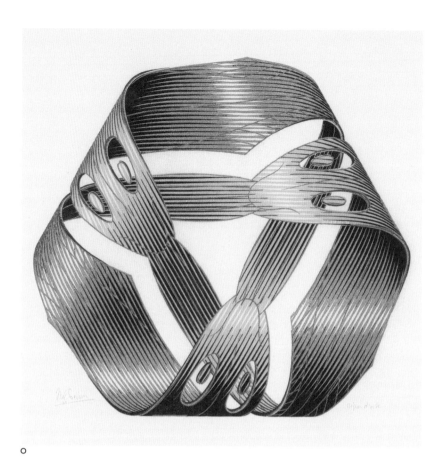

o

UN RUBAN DE MÖBIUS est une surface ne comportant qu'une face
lorsqu'elle s'inscrit dans un espace tridimensionnel. On peut réaliser un
ruban de Möbius à l'aide d'une bande de papier rectangulaire dont on
fait tourner une des extrémités d'un demi-tour avant de la rattacher à
l'autre extrémité. En suivant la surface de la boucle du bout du doigt,
vous reviendrez à votre point de départ en ayant parcouru la totalité
de la surface des deux faces de la bande de papier. Les mathématiciens
August Ferdinand Möbius et Johann Benedict Listing ont découvert
chacun de leur côté cette surface unilatérale en 1858.

La Danse cosmique

○ *Ruban de Möbius I,* M. C. Escher, 1961

□ *Prismes 9, 10, 14 et 38,* E. A. Séguy, 1931

□

« *Je ne suis pas une chose – un nom. Il me semble être un verbe, un processus évolutif – une fonction intégrante de l'univers.* »

Richard Buckminster Fuller, *I Seem To Be A Verb*, 1970

○

La Danse cosmique

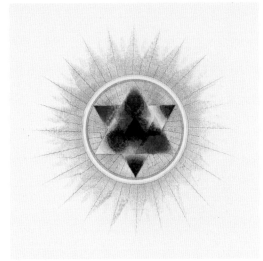

○
Dymaxion House, projet de Richard Buckminster Fuller,
v. 1927

□
Dans le sens des aiguilles d'une montre depuis en
haut à gauche :
diagramme de la corrélation des couleurs primaires,
diagramme des harmonies de couleurs primaires,
diagramme des harmonies de couleurs tertiaires,
diagramme des harmonies de couleurs secondaires,
*Chromatics, or An essay on the analogy and harmony
of colours*, George Field, 1817

Proportions divines   139

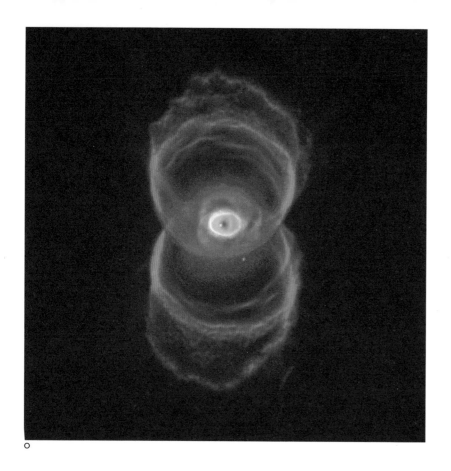

o

« Si, comme moi, vous avez regardé les étoiles
et essayé de donner un sens à ce que vous voyez,
vous avez, vous aussi, commencé à vous demander
ce qui fait que l'univers existe. »

Stephen Hawking, *Stephen Hawking's Universe*, 1997

La Danse cosmique

○

Nébuleuse du sablier, photographie prise par le
télescope Hubble de MyCn18, une jeune nébuleuse
planétaire, 16 janvier 1996

□

Sans titre, n° 172, crayon gras et pastel à l'huile
sur papier, Emma Kunz Stiftung

□

○□
Projet de cénotaphe pour
sir Isaac Newton, Étienne-
Louis Boullée, 1784

○

La Danse cosmique

L'ARCHITECTE NÉOCLASSIQUE ÉTIENNE-LOUIS BOULLÉE estimait que la sphère était le corps naturel le plus esthétique et le plus parfait. Dans le dessin qu'il réalisa pour la construction d'un cénotaphe pour le scientifique Isaac Newton cinquante ans après la mort de celui-ci, il proposa un vaste bâtiment sphérique de 150 m de haut enserré dans deux grands murs circulaires plantés de cyprès. Un petit sarcophage est installé au pied de la sphère. Le projet vise à recréer un effet de jour et de nuit. Lorsque la lumière du soleil pénètre par les orifices ménagés dans la courbe de la sphère, on a l'impression de voir les étoiles briller sur la voûte céleste. L'effet diurne est rendu par une sphère secondaire suspendue au centre de la grande sphère et émettant une mystérieuse lueur.

« L'architecture en elle-même véhicule cette idée de limitation de l'espace. C'est une limite entre le fini et l'infini. De ce point de vue, toute architecture est sacrée. »

Mario Botta, *American Institute of Architects*, 2008

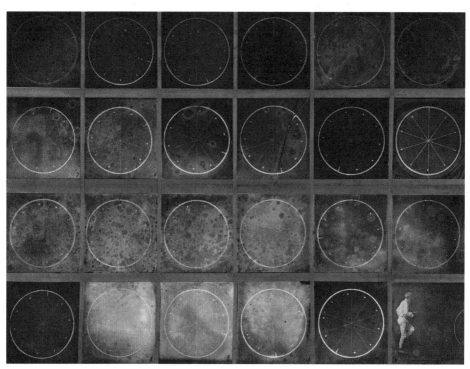

○

La Danse cosmique

○
Image séquencée d'une roue
en mouvement et autoportrait,
Eadweard Muybridge, v. 1887

□
Colonnade du temple Ramalingeshvara,
Rameswaram, Tamil Nadu, photographiée
par Nicholas and Company, v. 1884

Proportions divines

○

« Puisque la terre est la terre, peut-être, et non le ciel (encore) –
Bien que certains savants pensent que la terre inclut le ciel ;
Et que le bleu, si loin au-dessus de nous, arrive si haut,
Cela ne fait qu'aiguiser notre désir de bleu. »

Robert Frost, « Fragmentary Blue », 1920

La Danse cosmique

Intérieur du Panthéon, Rome (détail),
Giovanni Paolo Pannini, 1706-1765

□

Alexander Graham Bell (à droite) et ses
assistants observant le comportement de
l'un de ses cerfs-volants tétraédriques, 1908

Proportions divines

147

○
Dans le sens des aiguilles d'une montre depuis
en haut à gauche : « Le premier nœud »,
« Le deuxième nœud », « Le cinquième nœud »,
« Le quatrième nœud », motifs de broderie
conçus par Albrecht Dürer, d'après Léonard
de Vinci, v. 1521

□
Le dôme doré du Salon de los Embajadores
(Salon des ambassadeurs), Alcázar de Séville,
Espagne

□

« *Quel pouvoir, quelle force, quel sort puissant,
si ce n'est vos mains expertes, peut défaire ce
nœud gordien ?* »

John Milton, « At a Vacation Exercise in the College », 1628

Proportions divines

LES *CROP CIRCLES* ou agroglyphes sont des motifs générés par des zones aplanies de champs cultivés. Certains prétendent que la première mention de ces *crop circles* figure dans une brochure de 1678 intitulée *Le Diable tondeur : ou, Étrange nouvelle du Hartfordshire*. Depuis lors, de nombreuses théories – des motifs créés par des flux d'air ou des éclairs jusqu'aux vaisseaux extraterrestres – ont été proposées pour expliquer cet étrange phénomène. Les signalements se sont multipliés à la fin des années 1970, notamment à proximité de sites historiques comme Stonehenge ou Avebury. En 1991, Doug Bower et Dave Chorley ont révélé qu'il s'agissait en fait d'un canular, démontrant devant des journalistes comment ils s'y étaient pris pour tracer ces cercles à l'aide d'une planche et d'une corde.

La Danse cosmique

○
Agroglyphe, Silbury Hill, Wiltshire, 2009

□
Perspective pour un projet de dôme et de coupole d'église peints, d'après Andrea Pozzo, 1700-1725

« On est, en quelque sorte, suspendu – sur un terrain neutre – ni dans son propre monde, ni dans un monde étranger. […] Quelle fascination a pour moi un escalier, quand j'y songe ! Attendre quelqu'un – s'asseoir sur des marches inconnues en écoutant des pas au-dessus de soi. [...] Les êtres sortent d'eux-mêmes, dans un escalier, ils jaillissent, sans protection. »

Katherine Mansfield, lettre à Dorothy Brett, juillet 1921

La Danse cosmique

Illustration tirée de *Perspective*,
Hans Vredeman de Vries, 1604-1605

« Le Pont-levis », planche VII
de la série *Carceri d'invenzione
(Prisons imaginaires)*, Giovanni
Battista Piranesi, 1745

« *La nature [...] fait partie de [...] la musique des sphères qui crée l'harmonie dans les atomes, les molécules, les cristaux, les coquillages, les soleils et les galaxies et qui fait chanter l'Univers.* »

Guy Murchie, *The Seven Mysteries of Life*, 1978

La Danse cosmique

○
Laboratory of the Future,
Man Ray, 1935

□
Kugelobjekt II (*Objet sphérique II*),
Gerhard Richter, 1970

Proportions divines

○
Ensemble de Mandelbrot, première image
de séquence zoom, Wolfgang Beyer avec le
programme Ultra Fractal 3, 2013

□
Blue Domes of Iran, Ayreej Kanathil, v. 2017

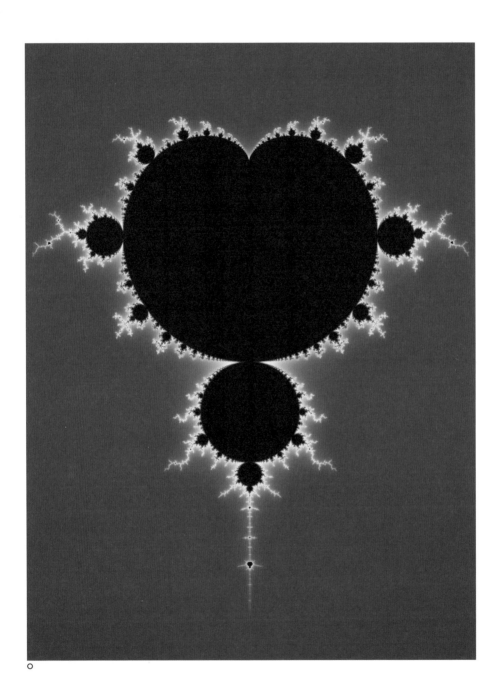

○

La Danse cosmique

© Ayeaj Rahman | 2014

LES ENSEMBLES DE MANDELBROT sont générés par itération. Dans la nature, les formes se composent souvent de motifs répétés sur une échelle de plus en plus petite. Par exemple une fougère est constituée de feuilles qui ont exactement la même forme que la plante entière. Les formes géométriques possédant cette qualité d'« auto-similarité » sont appelées fractales, un terme forgé en 1975 par le mathématicien Benoît Mandelbrot (1924-2010). Un ensemble de Mandelbrot est produit à l'aide de polynômes quadratiques. En 1979, Mandelbrot reporta les images d'un tel ensemble sur un ordinateur et obtint des visualisations de sections toujours plus agrandies de la limite de l'ensemble, révélant à chaque étape des motifs auto-similaires.

« *Spider Woman était observatrice ; elle regardait tout ce qui se trouvait dans son environnement, et sa curiosité s'est portée sur une araignée tissant une toile. C'est devenu son plan quant à sa façon de tisser l'univers.* »

Barbara Teller Ornelas et Lynda Teller Pete, *Spider Woman's Children: Navajo Weavers Today*, 2018

○ Couverture vestimentaire, Navajo. 1865-1875   ☐ Étude pour *Camino Real*, Anni Albers, 1967

○

○
Bâton en bois maori *(mere)*, tirage à
l'albumine, Nouvelle-Zélande, XIXᵉ siècle

□
Marunpa, South of Lake Mackay,
Pauline Sunfly, 2021

La Danse cosmique

« *Nous nous souvenons de tout, dans nos esprits, nos corps et nos pieds alors que nous dansons les histoires. Nous recréons le* Tjukurpa *en permanence.* »

Nganyinytja Ilyatjari, 1988

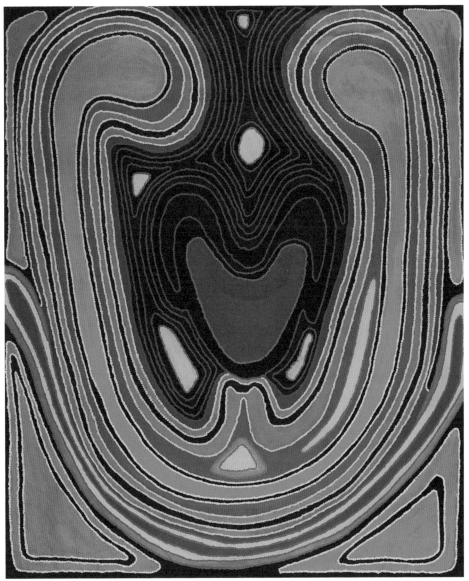

○

○
Décoration murale en mosaïques, chapelle
Palatine, Palerme, Italie, 1140-1170

□
Sans titre, László Moholy-Nagy, 1941

UN QUINCONCE est un motif géométrique composé de cinq points disposés en X de façon que quatre de ces points forment un rectangle ou un carré, avec le cinquième point en leur centre. Dans la République romaine, un quinconce était une pièce de monnaie valant cinq douzièmes d'un denier. Kepler attribua une signification astrologique au terme lorsqu'il l'utilisa pour désigner des planètes éloignées l'une de l'autre d'une distance de cinq douzièmes d'un cercle (soit 150°). Dans *Le Jardin de Cyrus* (1658), le physicien Thomas Browne évoque les significations symboliques imbriquées du nombre 5, du quinconce et de la structure en treillis dans la nature et l'art, affirmant qu'ensemble ils prouvent le dessein de Dieu.

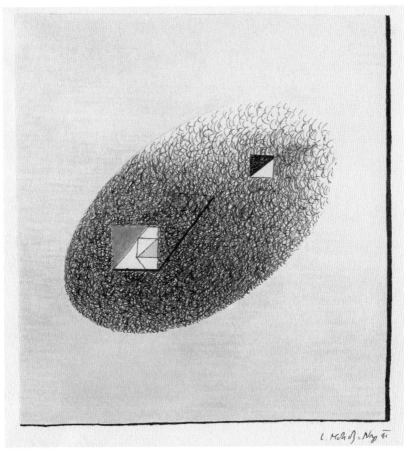

o

4.

La quête du nirvana

« *Et quand ton âme,*
la flamme, l'étincelle,
rencontre le combustible
divin si pur et si fort,
il en résulte une immense
illumination : l'illumination
de Dieu. Lumière sur lumière,
Noorun Alaa Noor. » ^

○
The Titan's Goblet,
Thomas Cole, 1833

△
A Blessed Olive Tree: A Spiritual Journey in
Twenty Short Stories, Zain Hashmi, 2017

elon le néoplatonicien grec Porphyre (v. 234 - v. 305 ap. J.-C.) les dernières paroles de Plotin à ses élèves ont été : « Efforcez-vous de faire remonter le dieu qui est en vous au divin qui est dans le Tout. » Plotin (204/205-270 ap. J.-C.) enseignait qu'il existe une hiérarchie métaphysique de trois réalités non matérielles : l'Un ou le Bien ; le *nous*, Esprit ou Intellect ; et l'Âme ou Psyché. L'Âme crée un univers physique, répliquant la beauté et l'ordre de la réalité métaphysique. Elle descend ensuite pour habiter les corps individuels dans le monde physique. À la mort du corps physique, chaque âme individuelle intègre le corps d'un autre homme ou d'un animal. Si elle a mal agi dans une vie, elle devra intégrer un corps situé plus bas dans la hiérarchie des bêtes. En revanche, si elle s'est bien conduite, contemplant fréquemment la beauté du domaine intellectuel, parvenant à des moments d'extase ou d'union avec l'Un, elle pourra intégrer un corps situé plus haut dans la hiérarchie jusqu'à ce qu'elle soit en mesure d'oublier le monde physique et de ne faire plus qu'un avec le nous dont elle est issue à l'origine.

La philosophie de Plotin a eu une influence majeure sur les philosophies chrétienne et islamique. La Sainte Trinité du christianisme – Père, Fils et Saint-Esprit – est très proche de l'Un, Esprit et Âme de Plotin. Le monde éternel des idées de Platon (v. 428/427-348/347 av. J.-C.) et de Plotin est identique au Royaume des Cieux chrétien – un Autre Monde non différent du point de vue métaphysique du monde de la matière, mais existant dans le futur. La littérature juive apocryphe décrit de multiples cieux dans lesquels le paradis – l'état dans lequel les justes jouissent de l'accomplissement spirituel – est soit le troisième de sept cieux, soit le septième de dix. Selon la croyance juive, chaque individu est ressuscité après la mort et soumis à un jugement dernier,

les justes étant destinés au paradis et les pécheurs voués à un lieu de punition nommé Géhenne. Les premiers textes védiques évoquent également une vie dans l'au-delà au paradis ou en enfer selon les vertus ou les vices accumulés pendant l'existence. Les philosophes védiques croyaient aussi que lorsque la somme des mérites est épuisée, l'âme individuelle renaît.

Le concept de Purgatoire fut instauré au moyen âge dans l'Église catholique : un lieu où les morts étaient transportés aussitôt après le décès pour expier leurs péchés véniels ou être punis pour leurs péchés mortels avant d'accéder au paradis et se réconcilier avec Dieu. Fondée sur les enseignements de St Thomas d'Aquin (1225-1274), la *Divine Comédie* de Dante Alighieri (1265-1321) retrace le périple de l'âme individuelle, sous la forme du pèlerin Dante, à travers les neuf cercles de l'Enfer, du Purgatoire et du Paradis. On retrouve un concept similaire, le karma, dans le bouddhisme classique. Selon ce concept, l'âme peut renaître dans l'un des

six domaines – en tant que dieu, homme,
demi-dieu, esprit famélique ou créature de
l'enfer – en fonction des actes de l'individu
dans sa vie.

L'accomplissement de l'union mystique
avec Dieu est un élément central de la
Kabbale, qui vit le jour au XIIIᵉ siècle dans la
tradition juive. Les cabalistes pensent que
tout être humain est un microcosme divin
et que les domaines spirituels constituent
le domaine divin. Pendant la Renaissance,
chrétiens et hermétistes développèrent leur
propre version de la Kabbale. Les hermétistes
fondaient leurs croyances sur les écrits (v. 100-
v. 300 ap. J.-C.) attribués à Hermès Trismégiste,
traduits par Marsilio Ficin (1433-1499) et
Ludovico Lazzarelli (1447-1500), ainsi que
sur les textes médicaux de Paracelse (1494-
1541). Ces textes s'inspiraient de l'astrologie,
de l'alchimie et de la magie – les « trois
parties de la sagesse de l'univers entier »
auxquelles fait référence le texte hermétique
de la *Table d'émeraude*. Au XVIIᵉ siècle les
Rosicruciens incorporèrent la philosophie
hermétique, la Kabbale et la magie divine
à leurs pratiques secrètes. L'Ordre est
symbolisé par la rose, qui représente l'âme,
et la croix, qui symbolise le corps. Les
adeptes cherchent à atteindre une plus
grande connaissance et l'illumination
spirituelle tout en demeurant dans leur
corps physique.

Dans l'hindouisme, le bouddhisme,
le jaïnisme et le sikhisme le but ultime est
le nirvana – la libération des souffrances
terrestres et la fin du cycle de la renaissance.
Selon la philosophie hindoue, le nirvana
est l'union de l'Atman, le moi, et du Brahman,
le principe cosmique. Dans le bouddhisme

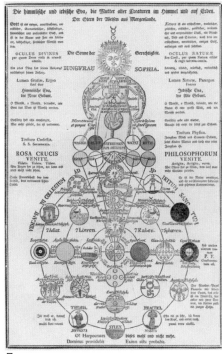

□

les Quatre Nobles Vérités et la Voie
Octuple enseignent aux croyants la
manière d'atteindre un état de non-soi et
de vide. Pour les bouddhistes la délivrance
de la souffrance implique de vaincre
toutes formes de désir, ce qui peut être
accompli en pratiquant la méditation
profonde. Les mandalas sont utilisées
comme une aide à cette méditation.
Un moine peut être en mesure d'atteindre
le nirvana durant son existence terrestre –
libération complète du désir et paix
de l'esprit. Le nirvana atteint après la
mort se traduit par l'absence complète
de conscience.

« *Satan poursuit sa route et approche de la limite d'Éden. Le délicieux paradis, maintenant plus près, couronne de son vert enclos, comme d'un boulevard champêtre, le sommet aplati d'une solitude escarpée [...].* »

John Milton, *Le Paradis perdu*, livre IV, 1667

La Danse cosmique

○
Détail d'une miniature représentant un
jardin ou un champ en fleurs, Pacino di
Buonaguida, *Adresse à Robert d'Anjou, roi
de Naples, de la ville de Prato en Toscane*,
v. 1335-1340

□
Paradis, Herri met de Bles, v. 1541-1550

La quête du nirvana

LES FLEURS DE LOTUS relâchent des graines qui peuvent rester pendant de nombreuses années – jusqu'à 1300 ans selon un cas attesté – à l'état dormant dans les lits asséchés des rivières et des mares avant de germer. Plongeant ses racines dans la boue, la fleur du lotus s'épanouit au-dessus de l'eau, dans laquelle elle replonge chaque soir avant de ressurgir et de s'ouvrir à nouveau le lendemain matin. Dans de nombreuses cultures orientales elle symbolise donc le miracle de la vie et de la renaissance, mais aussi la possibilité de surmonter les obstacles du monde matériel et d'atteindre l'éveil. Le Bouddha est parfois représenté assis sur une fleur de lotus, et la déesse hindoue Lakshmi, associée à la fertilité, l'est presque toujours. Dans l'iconographie hindoue, la fleur est souvent utilisée pour exprimer la promesse spirituelle, le déploiement de ses pétales suggérant l'expansion de l'âme.

La Danse cosmique

○
Fresque de Khrua In Khong
représentant la doctrine du
Bouddha fleurissant comme un
lotus, Wat Bowonniwet Vihara,
Bangkok, Thaïlande, 1865

□
Le Jardin des plaisirs terrestres
(détail du panneau central),
Hieronymus Bosch, v. 1490-1510

La quête du nirvana

○

○

Assomption de la Vierge, cathédrale
de Parme, Le Corrège, 1526-1530

□

Mundus subterraneous (en haut)
et *Pyrophylaciorum* (en bas),
Athanasius Kircher, 1665

La Danse cosmique

« Seigneur, quand tu es monté dans les hauteurs,
Dix mille anges ont rempli le ciel. »

Isaac Watts, Évangile extrait d'un hymne relatif au Psaume 68 de la Bible

○

○ L'Archange Michel pesant les âmes des morts,
Juan de la Abadía l'Ancien, v. 1480-1495

□ Vajrapani sous forme de Yaksa (Fudo bleu),
époque de Kamakura, XIIIᵉ–XIVᵉ siècle

La Danse cosmique

« *Allez-vous-en loin de moi, vous les maudits, dans le feu éternel préparé pour le diable et ses anges.* »

Évangile selon saint Matthieu, chapitre 25

o

« Ce donjon horrible, arrondi de toutes parts,
comme une grande fournaise flambloyait
De ces flammes point de lumière ! mais des ténèbres
visibles servent seulement à découvrir des vues de
malheur ; régions de chagrin, obscurité plaintive,
où la paix, où le repos, ne peuvent jamais habiter,
l'espérance jamais venir […]. »

John Milton, *Le Paradis perdu*, livre I, 1667

○
La Descente aux enfers du Christ, disciple de
Hieronymus Bosch, v. 1525-1550

La quête du nirvana

○

○
Motif de pavage avec tête de Méduse,
région de Sousse, Tunisie, IIe–IIIe siècle
ap. J.-C.

□
Photographie d'une figure grotesque,
Parco dei Mostri (Parc des monstres),
Bomarzo, Lazio, Italie, Herbert List, 1952

178   La Danse cosmique

« […] Gorgô à l'aspect effrayant et aux regards horribles. Auprès étaient la Crainte et la Terreur. Et ce bouclier était suspendu à une courroie d'argent où s'enroulait un dragon azuré […]. »

Homère, *L'Iliade*, v. VIIIe siècle av. J.-C.

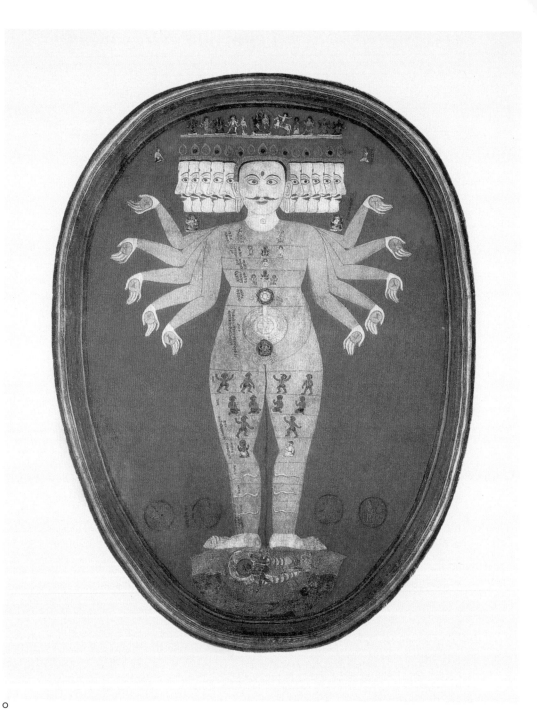

o

La Danse cosmique

○
Aquarelle représentant Purusha, l'homme cosmique aux mille têtes debout sur Vishnu, Népal, XVIIᵉ siècle

□
Aquarelle représentant un Vishnu aux mille têtes, manuscrit du *Bhagavata Puran*, Jaipur, Rajasthan, v. 1830

□

VISHNOU EST L'UNE DES TROIS FIGURES de la trinité hindoue qui, ensemble, représentent les différents aspects de l'être suprême et, individuellement, les forces essentielles de la succession des cycles de l'univers. Brahma est le créateur de l'univers, Vishnou le protecteur et Shiva le destructeur. Vishnou est généralement représenté avec une peau bleue et quatre bras tenant respectivement une conque, une roue *(chakra)*, un lotus et une massue. Dans sa forme suprême, Vishnou devient Vishvarupa, ou Homme universel, qui contient l'univers infini avec toutes ses créatures, et est pourvu d'innombrables formes, yeux, visages, bouches et bras.

UN MANDALA, TERME QUI SIGNIFIE « CERCLE » EN SANSKRIT, est un dessin géométrique incorporant des symboles, et souvent entouré de figures importantes. De nombreuses religions orientales, dont le bouddhisme et l'hindouisme, utilisent le mandala comme une aide à la méditation et à la découverte spirituelle. Un mandala peut représenter l'univers en miniature, la Terre pure de l'illumination ou une divinité spécifique. Dans l'hindouisme un mandala simple est appelé *yantra*. La contemplation de ses motifs complexes, de l'extérieur vers l'intérieur, en suivant ses textes associés, ou *tantras*, facilite le périple transformatif du lecteur.

La Danse cosmique

○
Thangka représentant les treize mandalas
du cycle de Vairocana, XVe siècle

□
Yantra représentant la déesse Pratyangira,
district de Kutch, État du Gujarat, Inde,
v. 1700-1750

La quête du nirvana 183

○
Fusion de Shiva et Shakti,
Rajasthan, Inde, XXᵉ siècle

□
Page enluminée extraite de
Biblia pauperum (Bible des pauvres),
1414-1415

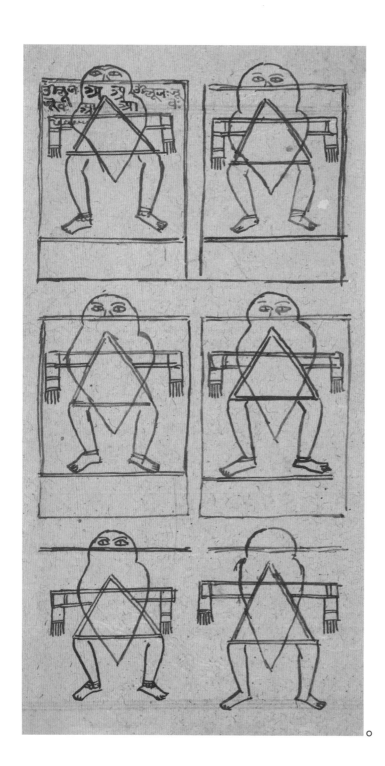

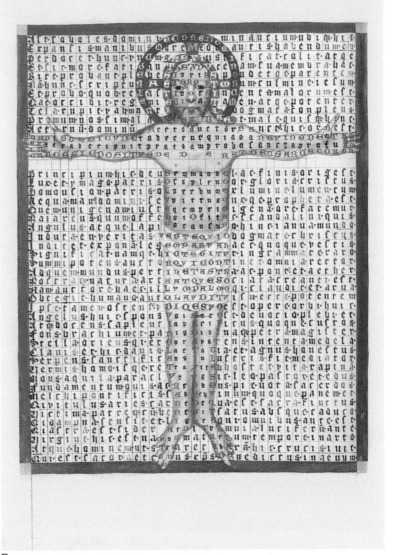

« *Dieu Shiva et son épouse de la montagne,*
Unis comme le mot et le sens,
Les grands parents du monde. »

Kalidasa, *Raghuvamsa*, v. Vᵉ siècle

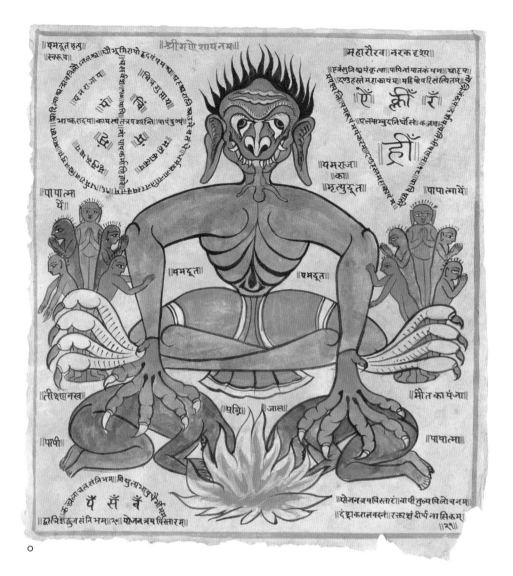

○

« *Tout va, tout revient, la roue
de l'existence tourne éternellement.
Tout meurt, tout refleurit [...]*. »

Friedrich Nietzsche, *Ainsi parlait Zarathoustra*, 1883

Cycle de vie 4, Kalu Ram, années 1970

Yama tenant la Bhavacakra ou Roue de la vie, XIX ᵉsiècle

« *Ces enfers, et des centaines et des milliers d'autres,
sont les lieux où les pécheurs paient la pénalité de leurs
crimes. Les enfers dans lesquels ils sont punis sont aussi
nombreux que les délits que les hommes commettent.* »

« Divisions of Naraka », *Vishnu Purana*, 1840

La Danse cosmique

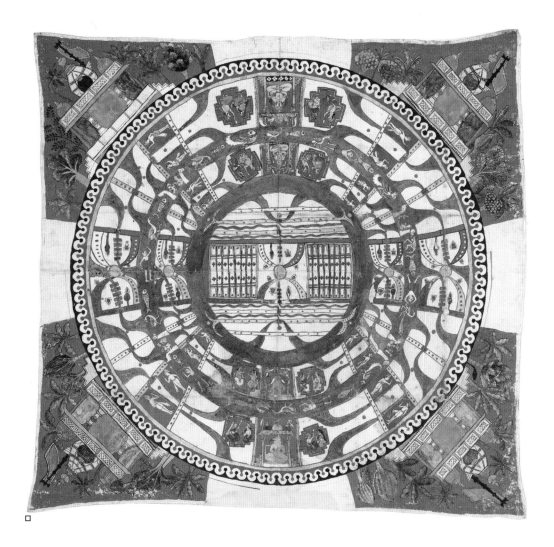

○
*Diagrammes de l'Univers : Les Deux
et demi Continents*, Gujarat, 1613

□
Diagramme cosmologique jaïniste
du monde des mortels, v. 1850

o

LES DESCRIPTIONS D'ANIMAUX MYTHIQUES abondent dans les mythologies
et les folklores du monde entier. Certains, comme le dragon ou le tengu,
étaient réputés posséder des pouvoirs surnaturels ou magiques. Beaucoup
de ces animaux étaient utilisés dans des contes moraux afin d'amener
les auditeurs effrayés à se comporter de façon vertueuse, tandis que
d'autres sont nés de descriptions fantaisistes de créatures réelles mais
jusqu'alors inconnues fournies par les premiers voyageurs. Beaucoup sont
des chimères composées de fragments de deux ou plusieurs créatures
tels que le griffon, mi-lion, mi-aigle, ou le faune, mi-bouc, mi-homme.
Des exemples de créatures mythiques se retrouvent dans la mythologie
de nombreuses cultures. Par exemple le Qilin chinois et le Kirin japonais
présentent une similarité frappante avec la licorne européenne, tandis
que des bêtes ressemblant à des dragons se rencontrent dans les cultures
égyptienne, chinoise, mésopotamienne, indienne, grecque et romaine.
Au Moyen Âge les bestiaires illustrés décrivant un grand nombre
d'animaux – tant réels que fictifs – étaient très populaires en Europe.
Ils analysaient la signification symbolique de chaque créature, et
s'accompagnaient souvent d'une leçon de morale.

○
Bête alchimique, *Clavis Artis*, Zoroastre
(attr. à), fin xviie ou début xviiie siècle

□
« Léviathan », enluminure extraite
d'un manuscrit byzantin du Livre
de Job, v. 850

□

○

« *Cet animal […] possède une corne proéminente qui n'est pas lisse mais […] de façon tout à fait naturelle et qui est de couleur noire. On raconte que cette corne est extrêmement pointue.* »

Élien, *La Personnalité des animaux*, IIe ou IIIe siècle ap. J.-C.

□

○ *Untold Stories 22*, Kalu Ram,
v. 2005–2010

□ Hanuman dévoilant les images cachées au
sein de son cœur, peinture amateur de style
kalighat, v. 1880

La Danse cosmique

□

« *Il est le cœur de chaque créature ;*
Il est le sens de chaque
caractéristique ;
Et son esprit est le ciel. »

Ralph Waldo Emerson, *Notes de bois*, 1841

o

« *Il at le vis herdu, gros le col e kernu, quaré le piz devant, hardi e cumbatant ; graille at le trait deriere, cue de grant maniere, e les jambes at plates, juste les piez aates ; les piez at gros culpez, luns ungles e curvez.* »

Philippe de Thaon, *Le Bestiaire*, v. 1121

La Danse cosmique

□

○

« La Rose cosmique », Kabbale
chrétienne, *Amphitheatrum sapientiae
aeternae* (Amphithéâtre de sagesse
éternelle), 1595

□

Esprit universel de la nature,
*A Key to Physic, and the Occult
Sciences*, Ebenezer Sibly, 1794

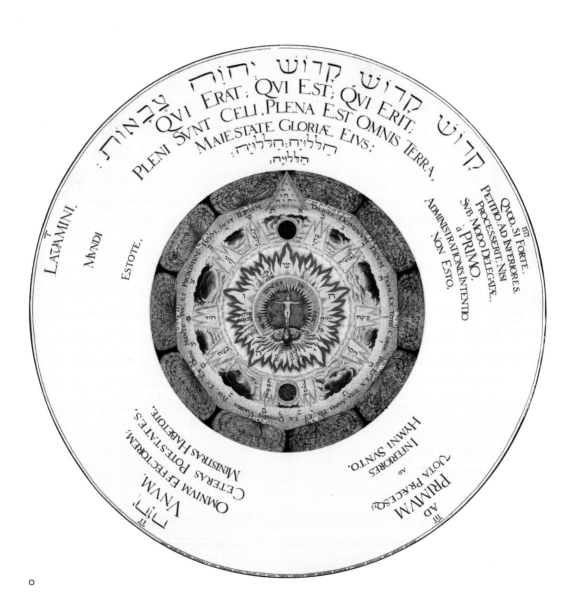

○

La Danse cosmique

□

LE ROSICRUCISME est un mouvement spirituel qui s'annonça en
Europe par la publication de trois manifestes anonymes entre 1614
et 1617. Ils décrivaient un ordre ésotérique inconnu jusque-là, qui
aurait été fondé aux alentours de 1407 par un physicien et mystique
allemand nommé Christian Rosenkreuz. L'ordre avait adopté
comme symbole une croix rouge ornée d'une rose et avait gardé
secrète son existence jusqu'à ce qu'il juge que la société était prête à
l'accueillir. Son objectif était « la réforme universelle de l'humanité »
au travers d'anciennes pratiques mystiques et alchimiques. L'ordre
influença de nombreux philosophes occultes du XVIIe siècle, parmi
lesquels Robert Fludd, et certaines sociétés secrètes ultérieures
comme la franc-maçonnerie et l'Ordre hermétique de l'Aube dorée.

o

LA ROUE DE LA FORTUNE est associée à Fortuna, la déesse romaine de
la chance et du destin. Fortuna est généralement représentée avec une
roue ou une balle, une corne d'abondance et un gouvernail. Elle peut
porter chance ou malheur selon le mouvement circulaire aléatoire de la
roue, et elle a souvent les yeux bandés. La métaphore de la roue de la
fortune fut popularisée au cours du Moyen Âge grâce à la large diffusion
de *Consolation de la philosophie* (52 ap. J.-C.) de Boèce, qui fut traduit
en italien par Alberto della Piagentina en 1332 et en anglais par Chaucer
en 1478. La réflexion philosophique de Boèce concernant la nature
inconstante du destin et les rapports entre le hasard et le libre arbitre
intéressait les chrétiens de l'époque, qui considéraient la survenue
d'événements apparemment aléatoires comme faisant partie du plan
secret de Dieu, que l'humanité ne saurait tenter de modifier.

□

○
*The Spiritual Crown of Annie Mary
Howitt Watts,* Georgiana Houghton, 1867

□
Le Commencement de la vie (Les Nénuphars),
Frantisek Kupka, v. 1900

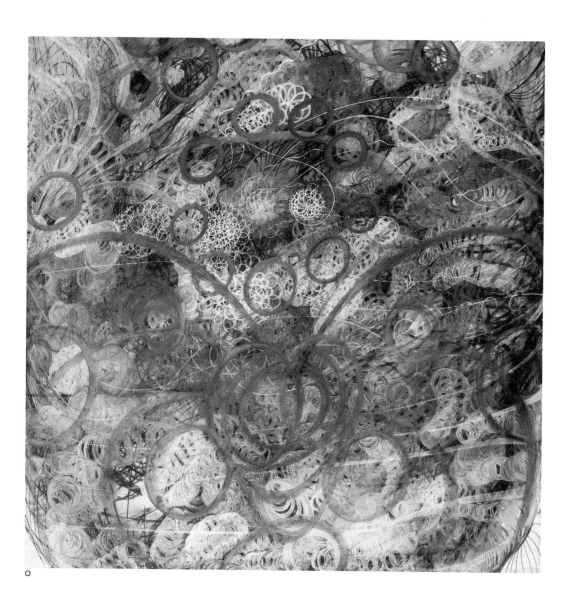

○

La Danse cosmique

« Ô lumière vivante, Anges très glorieux, feux de désir aux pieds de la divinité, regardant le regard divin dans l'obscurité mystique de toute créature, comment serait-ce jamais assez ? Ah ! cette joie cette gloire de simplement être cette forme, qui reste pure en vous. »

Hildegard von Bingen, *La Symphonie des harmonies célestes*, v. 1151-1158

○

○
Grindelwald. Grotte de glace, Charnaux
Frères & Cie, v. 1880-1890

□
Grotte de Sarrazine près de Nans-sous-
Sainte-Anne, Gustave Courbet, v. 1864

La Danse cosmique

« Considère […] qu'on détache l'un de ces prisonniers, qu'on le force à se dresser immédiatement, à tourner le cou, à marcher, à lever les yeux vers la lumière : […] l'éblouissement l'empêchera de distinguer ces objets dont tout à l'heure il voyait les ombres. »

Platon, « Allégorie de la caverne, La République », v. 375 av. J.-C.

o

La Danse cosmique

○
Adiantum pedatum (*Maidenhair Fern,*
Young Unfurling Fronds Enlarged 8 Times),
Karl Blossfeldt, épreuve gélatino-argentique,
1924-1932

□
Illustration extraite de *Descripción histórica y*
cronológica de las dos piedras que hallaron en ella el
año de 1790 (*Une description historique et chronologique*
de deux pierres qui ont été trouvées sur la place principale
de Mexico, pendant le projet de pavage actuel), Antonio
de León y Gama imprimée en 1792

COELI
CHRISTI·
SPHÆRIUM

5.

Et ainsi de suite jusqu'à l'infini

« Ce ne sont pas deux ou trois quadrillons d'ères universelles, trois ou quatre octillions de lieues cubiques qui peuvent faire échec au projet ni non plus le presser, Simples fractions que cela, puisque tout n'est que fraction. Où que portent vos yeux, il y a de l'espace illimité au-delà. Où que portent vos calculs, il y a le temps illimité au-delà. » ᐃ

○
Harmonia macrocosmica,
Andreas Cellarius, 1660

ᐃ
Walt Whitman, « Chanson de moi-même », dans *Feuilles d'herbes,* 1891–1892

Les premières tentatives pour cartographier la structure de l'univers ont été effectuées par les Égyptiens il y a 5000 ans, après que, selon eux, le dieu faucon Horus eut vaincu le dieu du chaos, Seth, et instauré le concept de royauté divine. Observant la course du soleil au-dessus de l'horizon ils en conclurent que la déesse du ciel, Nout, donnait naissance une fois par an au dieu du soleil, Ra. Ils mirent au point un calendrier en divisant l'écliptique de 360° en 36 sections – chacune identifiée par un groupe d'étoiles – de 10° chacune, appelées décans. La montée à l'horizon de décans consécutifs marquait les heures de décans et les groupes de dix jours, ce qui donnait une année de 360 jours. Les Égyptiens y ajoutaient cinq jours supplémentaires afin d'arriver à une année solaire de 365 jours.

En Mésopotamie, depuis l'époque sumérienne, les prêtres essayaient d'établir une relation entre les événements terrestres et les positions spécifiques des planètes et des étoiles. À partir de 1830 av. J.-C., les astronomes babyloniens enregistrèrent leurs observations des phénomènes célestes. En notant chaque jour la position des planètes, le lever et le coucher de la lune et l'arrivée des éclipses, ils élaborèrent un calendrier de douze mois basé sur les cycles lunaires et calculèrent la façon de prédire les éclipses, lesquelles, croyaient-ils, pouvaient annoncer la mort d'un roi. À partir de 1200 av. J.-C., les astronomes compilèrent des catalogues d'étoiles, répertoriant les constellations, les étoiles et les planètes du Zodiaque – la partie du ciel qui s'étend sur à peu près 8° au nord et au sud de l'écliptique. Le plus ancien catalogue d'étoiles babylonien, connu sous le nom de « Trois étoiles chacun », divise le ciel en trois parties égales : un hémisphère septentrional appartenant à Enlil, dieu du vent, de l'air et de la terre ; un équateur régi par Anou, le dieu suprême ; et un hémisphère méridional appartenant à Enki, le dieu des eaux, de la connaissance et de la création. Le soleil passait trois mois consécutifs dans chaque tiers. Le catalogue répertorie 36 étoiles, soit trois pour chacun des mois.

Le recensement le plus complet et le plus précis des comètes a été réalisé par les Chinois à partir de 613 av. J.-C. Les comètes ont toujours été considérées comme un mauvais présage annonçant la mort imminente d'un roi ou quelque autre catastrophe. Aristote (384-322 av. J.-C.) pensait que les comètes se composaient d'un mélange des quatre éléments et qu'elles provenaient de la haute atmosphère terrestre. Ce n'est qu'en 1577 de notre ère, lorsque Tycho Brahe (1546-1601) put établir précisément la trajectoire d'une comète dans le ciel européen, qu'il fut prouvé que les comètes voyageaient à travers l'espace.

Les catalogues d'étoiles babyloniens parvinrent en Grèce au cours du IVe siècle av. J.-C., mais ce n'est qu'après 305 av. J.-C., lorsque Alexandrie devint le centre de la culture grecque en Égypte ptolémaïque, que l'astrologie babylonienne fut associée à l'astrologie décanique égyptienne, aux dieux planétaires grecs et aux quatre éléments pour donner naissance à l'astrologie horoscopique.

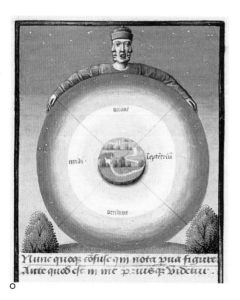

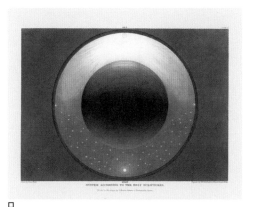

Enluminure représentant le double Janus observant les quatre parties du monde, *La Cité de Dieu* (vol. 1) d'Augustin d'Hippone, traduction de Raoul de Presles, v. 1475

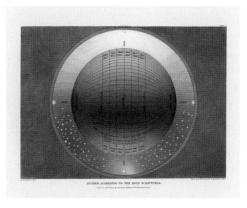

« Système selon les Écritures sacrées », *Two Systems of Astronomy*, illustré par Isaac Frost, gravé par W. P. Chubb & Son, imprimé par G. Baxter, 1846

L'érudit grec Claude Ptolémée (v. 100-v. 170 av. J.-C.), qui vécut à Alexandrie, établit le raisonnement et les principes de cette astrologie dans un texte intitulé *Tetrabiblos*, qui devait constituer la base de l'astrologie de la Renaissance. Ptolémée fut également l'auteur d'un traité d'astronomie, l'*Almageste*. Se fondant sur les observations astronomiques réalisées sur plus de 800 ans, qu'il compléta par ses propres observations effectuées à l'aide d'un des premiers astrolabes, il élabora un modèle géocentrique de l'univers dans lequel le soleil, la lune, les planètes et les étoiles tournent autour de la Terre. Il affirmait que celle-ci était sphérique et non plate, et que le mouvement des planètes était circulaire. Il dressa également des tableaux grâce auxquels il était possible de prévoir la position future des planètes, ainsi qu'un catalogue d'étoiles de 48 constellations.

Ce n'est qu'au XVIᵉ siècle que le chanoine astronome Nicolas Copernic (1473-1543) établit le modèle héliocentrique de l'univers. Dans *Des révolutions des orbes célestes* (1543), il argumente que la terre est une planète comme une autre et que toutes les planètes orbitent autour d'un soleil fixe dans un mouvement circulaire, la Terre accomplissant une révolution complète autour du soleil en une année, et tournant sur son axe une fois par jour. Johannes Kepler (1571-1630) affina la théorie de Copernic en suggérant, dans *Astronomia nova* (1609), que le mouvement des planètes n'était pas circulaire mais elliptique, et en 1687 Isaac Newton (1642-1727) introduisit la notion de gravité universelle et la loi de l'attraction gravitationnelle, qui appuyaient la théorie de Kepler, achevant ainsi la révolution copernicienne.

En 1925 il fut définitivement démontré que la Voie lactée contenant notre système solaire ne représentait qu'une des nombreuses galaxies de l'univers. Grâce au télescope du mont Wilson en Californie, le plus puissant du monde, Edwin Hubble (1889-1953) put photographier de lointaines nébuleuses en spirale, dont il montra qu'elles étaient constituées d'innombrables étoiles individuelles. Aujourd'hui on sait qu'il existe environ 200 milliards de galaxies dans l'univers observable, et que l'univers dans son ensemble est en expansion continue.

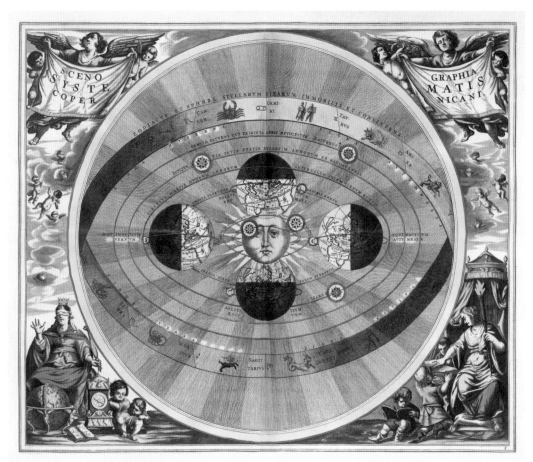

o

« *Dans les vastes échanges cosmiques, la vie universelle va et vient en quantités inconnues. [...] Engrenage énorme dont le premier moteur est le moucheron et dont la dernière roue est le zodiaque.* »

Victor Hugo, *Les Misérables*, 1862

La Danse cosmique

○
« Scenographia systematis Copernicani »,
extraite de *Harmonia macrocosmica (Atlas
celeste d'harmonie universelle)*, Andreas
Cellarius, 1660

□
Carte céleste (en haut) et sphère armillaire
(en bas), Ahmed al-Kirimi, *Jihannuma*,
Katip Çelebi, 1732

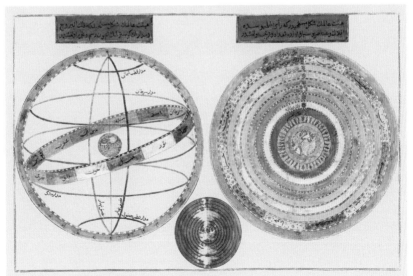

□

○

ON PEUT FAIRE REMONTER AUX ASTRONOMES BABYLONIENS du premier
millénaire avant Jésus-Christ la division du Zodiaque (la partie du
ciel visible depuis la terre pendant qu'elle orbite autour du soleil) en
douze signes. L'antique Zodiaque égyptien de Dendérah, conçu en
50 avant notre ère, est la première représentation connue des douze
signes, dont chacun occupe 30° de longitude céleste et correspond à
une constellation. Certaines de ses icônes sont des éléments gréco-
romains familiers, comme le Bélier et le Taureau, tandis que d'autres
sont d'origine égyptienne, comme le dieu Hâpy pour le Verseau.
C'est l'astrologue alexandrin Ptolémée qui, au IIᵉ siècle de notre ère,
codifia le système avec les planètes dominantes et les maisons.

○

Surya entouré des signes du Zodiaque,
Himachal Pradesh Pahari School, Inde,
v. 1830

□

Zodiaque de Dendérah (bas-relief sur le
plafond du temple d'Hathor à Dendérah
en Égypte), XIXᵉ siècle

Planisphere taken from the Temple of Tentyra.
London Published as the Act directs May 1.1802 by J.Wilkes.

□

Et ainsi de suite jusqu'à l'infini

« L'âme du nouveau-né est marquée à vie par la configuration des étoiles au moment où il vient au monde, elle s'en souvient inconsciemment et demeure sensible au retour de configurations de même nature. »

Johannes Kepler,
Harmonices mundi, 1619

La Danse cosmique

○
Détail d'une enluminure
représentant le signe
du Poisson, folio 30v
de *Metali'ü's-sa'adet ve-
yenabi'ü's-siyadet*, Seyyid
Muhammed bin Emir
Hasan el-Saudî, 1582

□
Détail d'une enluminure
représentant le signe
du Lion, folio 16v de
*Metali'ü's-sa'adet ve-
yenabi'ü's-siyadet*, Seyyid
Muhammed bin Emir
Hasan el-Saudî, 1582

□

Et ainsi de suite jusqu'à l'infini

o

« Le ciel se promène parmi nous, ordinairement
enveloppé dans de tels atours triples ou décuples
que les plus sages sont dupés et que personne ne
soupçonne les jours d'être des dieux. »

Ralph Waldo Emerson, lettre à Margaret Fuller, 1840

La Danse cosmique

○
Diagramme astrologique,
Rajasthan, Inde, xɪxᵉ siècle

□
Spaceship Drawing (Outer Limit),
Karla Knight, 2021

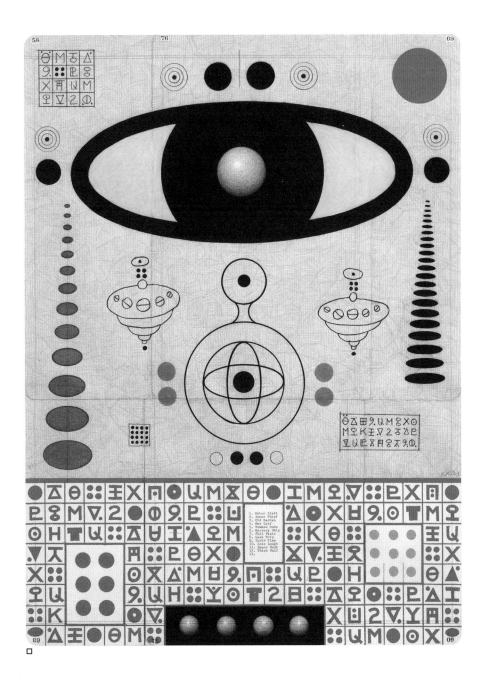

Et ainsi de suite jusqu'à l'infini

○
Détail d'une illustration de la Cosmologie de Kalachakra représentant les douze trajectoires empruntées par le Soleil autour du mont Meru, XVIᵉ siècle

□
Carte cosmique, Bruno Munari, 1930

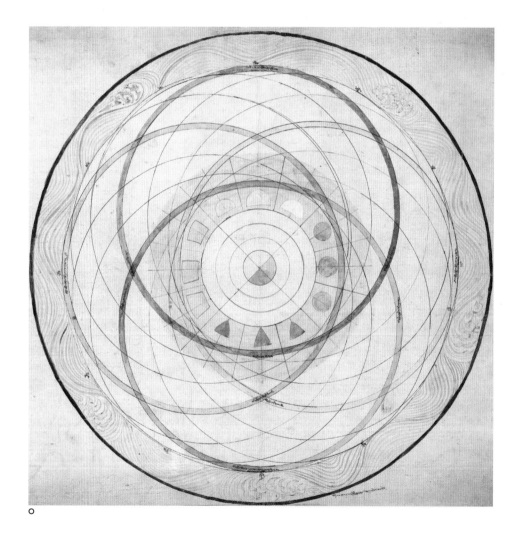

○

La Danse cosmique

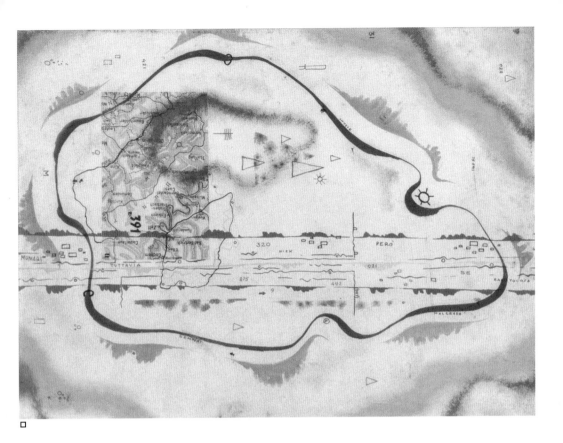

□

LES PREMIÈRES CARTES DE L'UNIVERS montrent une terre plate reposant
sous un firmament hémisphérique. Au VIᵉ siècle av. J.-C. fut proposé
en Chine le modèle *gai tian* ou « ciel couvrant », dans lequel le ciel est
vu comme une surface parallèle à la terre. Les Grecs pensaient que la
Terre était sphérique et optaient plutôt pour un modèle géocentrique
de l'univers, lequel fut établi par l'astronome alexandrin Ptolémée
(v. 100–v. 170 ap. J.-C.) dans l'*Almageste* (v. 150 ap. J.-C.). Les premiers
astronomes arabes plaçaient la Terre au centre de huit sphères, dont
la plus extérieure, qui comportait les étoiles, était animée d'un
mouvement de rotation. En dépit du fait qu'Aristarque de Samos ait
proposé un système héliocentrique aux alentours de 270 av. J.-C., ce
n'est que lorsque Nicolas Copernic (1473-1543) eut décrit son cosmos
héliocentrique dans *De Revolutionibus orbium coelestium* (1543) que
ce modèle fut pris au sérieux.

○
Carte des étoiles, Corée, XIVᵉ siècle

□
Charte des étoiles extraite de *Heitengi zuka*, Yoshitaka Iwahashi, 1802

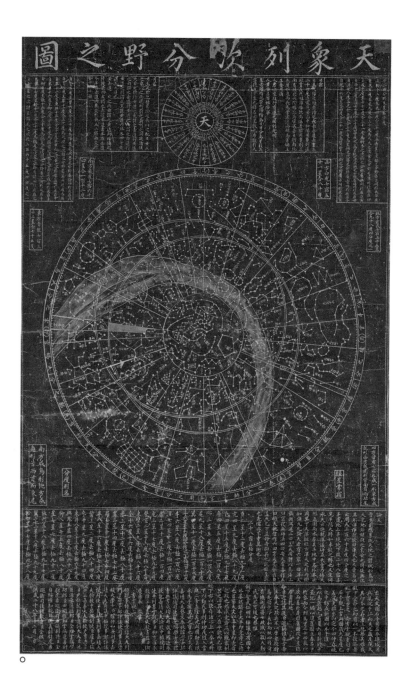

○

La Danse cosmique

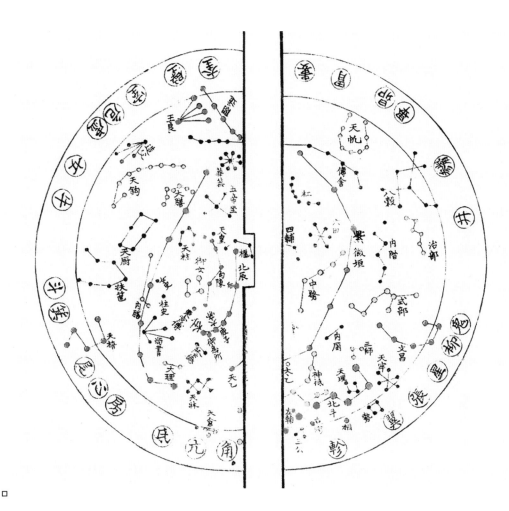

□

« Il faut donc admettre que les astres ressemblent
à des lettres qui seraient tracées à chaque instant
dans le ciel. [...] Tout est plein de signes. [...]
Tout est coordonné dans l'univers. »

Plotin, *Ennéade*, v. 268 ap. J.-C.

« À chaque moment commence l'existence ;
autour de chaque ici tourne la boule
là-bas. Le centre est partout. Le sentier
de l'éternité est tortueux. »

Friedrich Nietzsche, *Ainsi parlait Zarathoustra*, 1883

La Danse cosmique

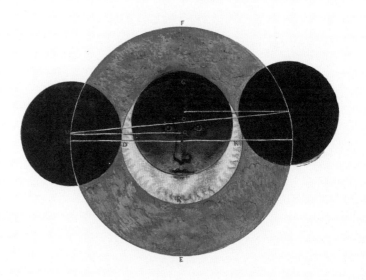

Et ainsi de suite jusqu'à l'infini

○
Diagrammes représentant
les orbites du soleil et de la
lune, extraits de *De Natura
avium; de pastoribus et ovibs;
bestiarium; mirabilia mundi;
philosophia mundi: sur l'âme*,
Flandres françaises, 1277 ou
après

□
Le soleil et la lune, extrait du
Livre de la Vigne nostre Seigneur,
France, v. 1450-1470

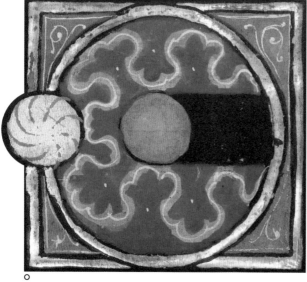
○

« *Si vous pouviez voir la terre illuminée
alors que vous êtes dans un endroit aussi
sombre que la nuit, elle vous semblerait
plus splendide que la Lune.* »

Galilée, *Dialogue sur les deux grands systèmes du monde*, 1632

LVNA.

○

« *Et Dieu fit deux grands corps lumineux*
(grands par leur utilité pour l'homme),
le plus grand pour présider au jour,
le plus petit pour présider à la nuit. »

John Milton, *Le Paradis perdu*, livre VII, *1667*

○

« Luna » (Lune), *Description des huit spectacles présentés lors des Jeux à l'occasion du baptême de la princesse Élisabeth de Hesse*, 1596

□

« Sol » (Soleil), *Description des huit spectacles présentés lors des Jeux à l'occasion du baptême de la princesse Élisabeth de Hesse*, 1596

□

o

La Danse cosmique

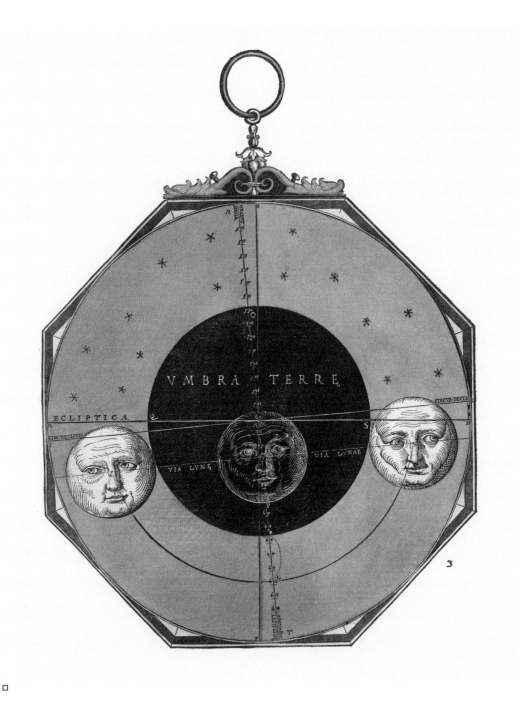

○□
Volvelles, ou cartes tournantes, conçues pour calculer les
phases du soleil et de la lune, les positions des planètes et
des éclipses, créées par Michael Ostendorfer et reproduites
dans *Astronomicum Caesareum* de Petrus Apianus, 1540

○

□

Illustrations extraites de *Astronomiae instauratae mechanica*, Tycho Brahe, 1598

« Astronomie », The Cabinet Maker and Artist's Encyclopedia, Thomas Sheraton, 1805

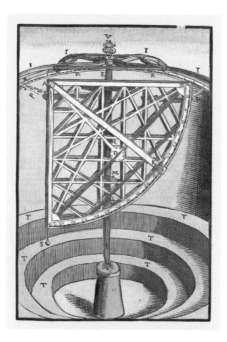

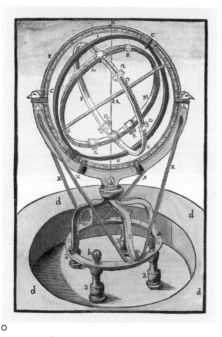

○

La Danse cosmique

« *Pendant toutes ces années, tu n'étais qu'une tache de lumière à travers nos télescopes [...].* »

Stuart Atkinson, *Lutetia in the Light*, 2010

○
« Planétaire avec une vue du système
solaire en arrière-plan », *Smith's
Illustrated Astronomy*, Asa Smith, 1850

□
« Vue idéale des anneaux et des satellites de
Saturne depuis la planète », *The Story of the
Sun, Moon, and Stars*, Agnes Giberne, 1898

○

La Danse cosmique

« *Tout au fond de la tristesse d'une obscure vallée,*
Dans une retraite éloignée de la brise vivifiante du matin,
Loin de l'ardent midi et de l'étoile solitaire du soir,
Était assis Saturne aux cheveux gris, immobile comme un roc,
Aussi muet que le silence planant autour de son repaire. »

John Keats, « Hyperion », 1818

○

La Danse cosmique

○ Galaxies, *An Original Theory or New Hypothesis of the Universe*, Thomas Wright, 1750

□ « Le système newtonien de l'Univers » illustré par Isaac Frost, gravé par W. P. Chubb & Son, imprimé par G. Baxter, 1855

« Il n'y a qu'un lieu général, un espace immense que nous pouvons librement appeler vide, où sont un nombre infini de globes, comme s'y trouve celui où nous vivons et prospérons. »

Giordano Bruno, *De l'infini, de l'univers et des mondes*, 1584

o

« *On imagine une comète*
qui reviendrait après des siècles
du royaume des morts
et, cette nuit, traverserait le nôtre
en y semant les mêmes graines [...]. »

Poème de Philippe Jaccottet, 1998

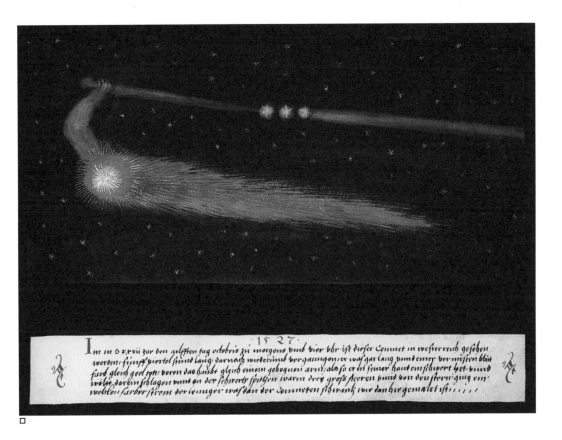

○
« Mort du soleil et étoiles chutant », *Codex de Predis, histoires de Jésus, les Saints et la fin du monde*, Cristoforo De Predis, 1476

□
« Comète de l'épée », *Das Wunderzeichenbuch (Le Livre des miracles)*, 1552

Et ainsi de suite jusqu'à l'infini

o

« *Cette roue des cieux devant laquelle nous restons stupéfaits,
nous pouvons, dans notre imagination, la comparer à une
lanterne magique. Le soleil est la lampe, le monde est la lanterne ;
nous y sommes des images qui tournent.* »

Omar Khayyâm, *Robâiyât (Quatrains)*, 1120

La Danse cosmique

○

Mosaïque byzantine représentant le ciel
nocturne, mausolée de Galla Placidia,
Ravenne, Italie, ve siècle ap. J.-C.

□

Planètes, *Merveilles de la Création*,
Zakarīyā ibn Muhammad al-Qazwini,
Perse, v. 1130 ap. J.-C.

□

o

« *Le soleil du sud répand ses faveurs sur la lune,*
à la droite de la porte du ciel.
Le soleil ne savait pas où était sa demeure.
Les étoiles ne savaient pas où était leur place,
La lune ne savait pas quel était son pouvoir. »

Völuspá, v. Xᵉ siècle

□

○

○
Rivages de la Nuit plutonienne, illustration
de Gustave Doré pour « Le Corbeau »
d'Edgar Allan Poe, 1884

□
« Le règne du chaos et de la nuit », diagramme
de la cosmologie de Milton, édition du *Paradis
perdu* de Homer Sprague, 1883

La Danse cosmique

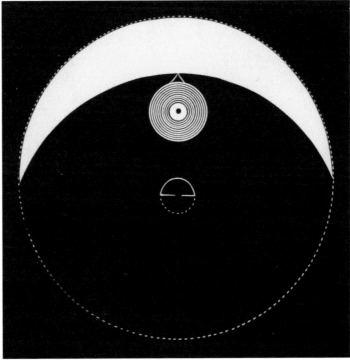

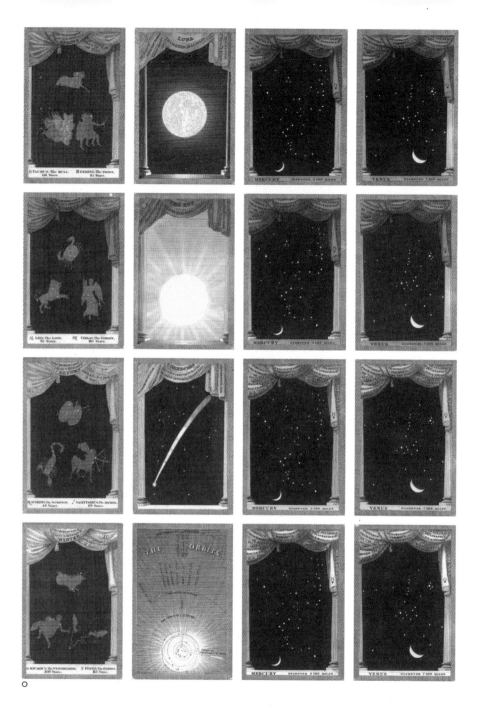

○
Cartes à jouer astronomiques conçues et
publiées par F. G. Moon à Londres, 1829

□
« Phases de la lune », *The Beauty of the Heavens,
A Pictorial Display of the Astronomical Phenomena
of the Universe*, Charles F. Blunt, 1842

« *J'ai vu des milliers de lunes : des lunes des moissons pareilles à des pièces d'or, des lunes d'hiver aussi blanches que des copeaux de glace, des nouvelles lunes semblables à des plumes de bébé cygne.* »

Gerald Malcolm Durrell, lettre à sa fiancée Lee, 1978

« *Le Soleil est le passé, la Terre est le présent, la Lune est l'avenir.*
D'une masse incandescente nous avons émané ; et en une masse gelée
nous allons nous transformer. Impitoyable est la loi de la nature, et
rapidement et irrésistiblement, nous sommes attirés vers notre perte. »

Nikola Tesla, « Colorado Springs Notes », 1900

○

La Danse cosmique

○
Mappemonde exposée au Royal Ontario Museum
of Geology and Mineralogy, Canada, années 1950

□
Maquette de la lune exposée au Field Columbian Museum,
Chicago, Illinois, USA, conçue par Johann Friedrich et
Julius Schmidt, 1898

Et ainsi de suite jusqu'à l'infini

Bibliographie

Abbott, Berenice, *Documenting Science*, Steidl, Göttingen, 2008

Albin-Guillot, Laure, *Micrographie décorative*, Draeger Frères, Paris, 1931

d'Aquin, St. Thomas, *Le lever de l'aurore*, Roberto Revello (préf.), Éditions Mimésis, Sesto San Giovanni, IT, 2017
Selected Philosophical Writings, Timothy McDermott (éd.), Oxford University Press, Oxford, 2008

Barkan, Leonard, *Nature's Work of Art: The Human Body as Image of the World*, Yale University Press, New Haven, 1975

Bashō, Matsuo, *Moon Woke Me Up Nine Times: Selected Haiku of Basho*, David Young (trad.), Random House USA, New York, 2013

Bentley, Wilson A., *Snowflakes in Photographs*, Dover Publications Inc., New York, 2000

Blair, Sheila et Jonathan Bloom (éds), *God Is Beautiful and Loves Beauty: The Object in Islamic Art and Culture*, Yale University Press, New Haven, 2013

Blake, William, *Chansons et mythes : poèmes choisis*, Pierre Boutang (éd. et trad.), Éditions La Différence, Paris, 1989

Brahe, Tycho, *De mundi aetherei recentioribus phaenomenis liber secundus*, 1588

Brauen, M., *The Mandala: Sacred Circle in Tibetan Buddhism*, Serindia Press, Londres, 1997

Broug, Eric, *Islamic Geometric Design*, Thames & Hudson, Londres, 2013

Campbell, Joseph, *The Masks of God: Four Volumes*, Viking Press, New York, 1959–1968

Capra, Fritjof, *Le Tao de la physique – Une exploration des parallèles entre la physique moderne et le mysticisme oriental*, J'ai lu, Paris, 2018

Cellarius, Andreas, *Harmonia Macrocosmica* (1660), Robin Van Gent (éd.), Taschen Books, Cologne, 2012

Chladni, Ernst, *Entdeckungen über die Theorie des Klanges*, Weidmanns Erben and Reich, Leipzig, 1787

Cicéron, *De natura deorum*, traduction de *Phenomena* d'Aratos de Soles, M. Matter (trad.), C. L. F. Panckoucke Éditeur, Paris, 1839

Cleary, Thomas (éd. et trad.), *I Ching: The Book of Change*, Shambhala, Boston, 2017

Le Coran, Denise Masson (trad.), Gallimard, Paris, 1980

Critchlow, Keith et Seyyed Hossein Nasr, *Islamic Patterns: An Analytical and Cosmological Approach*, Thames & Hudson, Londres, 1983

Doniger, Wendy (éd. et trad.), *The Rig Veda*, Penguin Books, Londres, 2005

Easwaran, E. (éd. et trad.), *The Upanishads*, Penguin Books, Londres, 1988

Elfving, Frederik, *Anatomia vegetal (Anatomie végétale)*, F. E. Wachsmuth, Leipzig, 1929

Ernst, Bruno, *The Magic Mirror of M. C. Escher*, Random House, New York, 1976

Erosthathenes et Hyginus, *Constellation Myths with Aratus's Phaenomena*, Robin Hard (éd. et trad.), Oxford University Press, Oxford, 2015

Ettinghausen, Richard, Oleg Grabar et Marilyn Jenkins-Madina, *Islamic Art and Architecture, 650–1250*, 2ᵉ éd., Yale University Press, New Haven et Londres, 2003

Fibonacci (Léonard de Pise), *Liber abaci* (1202), Laurence Sigler (trad.), Springer Verlag, New York, 2003

Field, George, *Chromatics, or An essay on the analogy and harmony of colours*, Londres, 1817

Flammarion, Camille, *Astronomie populaire*, Marpon et Flammarion, Paris, 1881

Fludd, Robert, *Utriusque cosmi maioris scilicet et minoris metaphysica, physica atque technica historia…*, pour les héritiers de J. T. de Bry, par C. Rotelius, Francfort, 1624

Fraser, Alec, *A Guide to Operations on the Brain*, J. & A. Churchill, Londres, 1890

Fraser, Douglas (éd.), *African Art as Philosophy*, Interbook, New York, 1974

Frédol, Alfred et al., *Le Monde de la mer*, L. Hachette & Cie, Paris, 1866

Galien, *On the Constitution of the Art of Medicine. The Art of Medicine. A Method of Medicine to Glaucon*, Ian Johnston (éd. et trad.), Harvard University Press, Cambridget, MA, 2016

Galilei, Galileo, *Sidereus nuncius (Messager étoilé)*, Thomas Baglioni, Venise, IT, 1610

Godwin, Joscelyn, *Athanasius Kircher's Theatre of the World*, Thames & Hudson, Londres, 2009
Robert Fludd: Hermetic philosopher and surveyor of two worlds, Thames & Hudson, Londres, 1979

Graves, Robert, Felix Guirand et al., *The New Larousse Encyclopaedia of Mythology*, Hamlyn Books, Londres, 1963

Gray, Henry, *Gray's Anatomy*, Running Press, Philadelphie, PA, 1974

Grew, Nehemiah, *The Anatomy of Plants. With an Idea of a Philosophical History of Plants. And Several Other Lectures, Read Before the Royal Society*, W. Rawlins, Londres, 1682

Haase, Rudolf, Anton Meier et al., *Emma Kunz: Artist, Researcher, Healer*, Emma Kunz Centre, Würenlos, Suisse, 1998

Haeckel, Ernst, *Kunstformen der Natur (Forrmes artistiques de la nature)*, Bibliographischen Instituts, Leipzig et Vienne, 1904

Hésiode, *Théogonie, Les Travaux et les jours*, Le Boucher, P. Mazon (trad.), Les Belles Lettres, Paris, 2002

Hildegard von Bingen, *Selected Writings*, Mark Atherton (éd. et trad.), Penguin Books, Londres, 2005

Hippocrate, *Œuvres complètes*, Émile Littré, Paris, 1839-1861

Hobbes, Thomas, *Leviathan*, Christopher Brooke (éd.), Penguin Books, Londres, 2017

Hofstadter, Douglas R., *Gödel, Escher, Bach: an Eternal Golden Braid*, Basic Books, New York, 1979

Hooke, Robert, *Micrographia: or, some physiological descriptions of minute bodies made by magnifying glasses. With observations and inquiries thereupon*, The Royal Society, Londres, 1665

Jamme, Franck André (éd.), *Tantra Song: Tantric Painting from Rajasthan*, Siglio Press, Los Angeles, 2011

Jung, Carl Gustav, M. L. von Franz, Joseph Henderson et al., *L'Homme et ses symboles*, Robert Laffont, Paris, 1964
The Red Book, Sonu Shamdasani (éd.), Les Arènes, Paris, 2011

Kepes, Gyorgy, *The New Landscape in Art and Science*, Paul Theobald & Co., Chicago, 1956

Kepler, Johannes, *Harmonice mundi (L'Harmonie du monde)*, Johann Planck pour Gottfried Tampach, Linz, 1619

Kilian, Lucas, *Catoptri microcosmici (Miroirs du microcosm)*, d'après des dessins du Dr. Johannes Remmelin, Stephan Michelspracher, Augsbourg, 1613

Larsen, Lars Bang et al., *Georgiana Houghton Spirit Drawings*, Paul Holberton Publishing, Londres, 2016

Ledermüller, Martin Frobenius, *Amusement microscopique, tant pour l'esprit que pour les yeux*, Lanoy pour Adam Wolfgang Winterschmidt, Nurembourg, 1764–1768

Lemagny, Jean-Claude, *Les Architectes visionnaires de la fin du XVIIIᵉ siècle*, Musée d'art et d'histoire, Genève, 1966

Leowitz, Cyprian, *Eclipses luminarium*, Augsbourg, 1555

Le Livre des miracles (Das Wunderzeichenbuch) (v. 1552), Joshua P. Waterman et Till-Holger Borchert (éds), Taschen Books, Cologne, 2017

Le Livre des morts de l'Égypte ancienne, Claude Carrier (trad.), Éditions Cybèle, Paris, 2009

Lucrèce, *On the Nature of Things (De Rerum Natura)*, Richard Jenkyns (intr.), A. E. Stallings (trad.), Penguin Books, Londres, 2007

Lull, Ramón, *Raymundi Lulli Opera Latina*, Lazarus Zetsner, Strasbourg, 1651

Le Mahabharata, Flammarion, Paris, 1993

Maier, Michael, *Atalanta fugiens*, Johann Theodori de Bry, Oppenheim, 1617

Malpighi, Marcello, *Anatome plantarum pars altera*, Johannis Martyn, Londres, 1679

Mandelbrot, Benoit B., *Les Objets fractals – Forme, hasard et dimension*, Flammarion, Paris, 2010

Marks, Robert M., *The Dymaxion World of Buckminster Fuller*, Reinhold Publishing, New York, 1960

Mazzarello, Paolo, *Golgi: A Biography of the Founder of Modern Neuroscience*, Aldo Badiani et Henry A. Buchtel (trad.), Oxford University Press, Oxford, 2010

Meller, James (éd.), *The Buckminster Fuller Reader*, Penguin Books, Londres, 1972

Merian, Maria Sibylla, *Dissertatio de generatione et metamorphosibus insectorum surinamensium*, J. Oosterwyk, Amsterdam, 1719

Miller, Mary Ellen et Karl Taube, *An Illustrated Dictionary of the Gods and Symbols of Ancient Mexico and the Maya*, Thames & Hudson, Londres, 1997

Milton, John, *Le Paradis perdu*, R. Ellrodt (dir.), F.-R/ de Chateaubriand (trad.), Gallimard, Paris, 1995

Mokerjee, Ajit, *Tantra Art: Its Philosophy and Physics*, Rupa & Co en collaboration avec Ravi Kumar, Paris et New Delhi, 1994

Muller, Iris, *Hilma af Klint: Painting the Unseen*, Hatje Cantz, Berlin, 2013

Newton, Isaac, *Principia : Principes mathématiques de la philosophie naturelle*, marquise du Châtelet (trad.), Voltaire (préf.), Dunod, Paris, 2011

Ostendorfer, Michael et Petrus Apianus, *Astronomicum Caesareum, (Astronomie de l'empereur)*, Petrus Apianus, Ingolstadt 1540

Pacioli, Luca et Léonard de Vinci, *De divina proportione* (1509), Silvana Editoriale, Milan, 1982

Platon, *La République*, Georges Leroux (éd. et trad.), Flammarion, Paris, 2016

Pline l'Ancien, *Histoire naturelle*, Gallimard, Paris, 1999

Plotin, *Les Ennéades*, Les Belles Lettres, Paris, 2002

Le Râmâyana de Valmiki, Gallimard, Paris, 1999

Ramon y Cajal, Santiago, *Textura del sistema nervioso del hombre y de los vertebrados*, Nicolás Moya, Madrid, 1899

Reuchlin, Johannes, *De arte cabbalistica*, Thomas Anselm, Hagenau, 1517

Russell, Bertrand, *Histoire de la philosophie occidentale*, Les Belles Lettres, Paris, 2011

Schedel, Hartmann, *Liber chronicarum (La Chronique de Nuremberg)*, Anton Koberger pour Sebald Schreyer et Sebastian Kammermeister, Nurembourg, 1493

Schön, Erhard, *Unterweisung der Proportion und Stellung der Possen* (1542), Joseph Baer & Co., Francfort, 1920

Sibly, Ebenezer, *A key to physic, and the occult sciences* (1792), Cambridge University Press, Cambridge, 2012

Skinner, Stephen et al., *The Splendor Solis: The World's Most Famous Alchemical Manuscript*, Watkins Publishing, Londres, 2019

Sowerby, James, *British Mineralogy: or Coloured Figures Intended to Elucidate the Mineralogy of Great Britain*, R. Taylor and Co., Londres, 1802–1817
Mineral Conchology of Great Britain, Benjamin Meredith, W. Arding, Richard Taylor, Londres, 1812–1818

Stöer, Lorenz, *Geometria et perspectiva: Corpora regulata et irregulata*, Augsbourg, fin du XVIᵉ siècle

Swanson, Larry, Eric Newman, Alfonso Araque et Janet M. Dubinsky, *The Beautiful Brain: The Drawings of Santiago Ramon y Cajal*, Abrams Books, New York, 2017

The Tibetan Book of Proportions, Palatino Press, 2014

Tillyard, E. M. W., *The Elizabethan World Picture*, Penguin Books, Londres, 1972

Tseu, Lao, *Tao Te King*, Stephen Mitchell (trad.), Synchronique éditions, Antony, 2012

Trouvelot, Étienne Léopold, *The Trouvelot Astronomical Drawings Manual*, C. Scribner's Sons, New York, 1881–1882

Tucci, Giuseppe, *The Theory and Practice of the Mandala*, Samuel Weiser Inc., New York, 1973

Unterman, Alan, *The Kabbalistic Tradition: An Anthology of Jewish Mysticism*, Penguin Books, Londres, 2009

Vesalius, Andreas, *De humani corporis fabrica libri septem*, Johannes Oporinus, Bâle, 1543

Vinci, Léonard de, *Carnets*, Gallimard, Paris, 2019

Wright, Thomas, *An Original Theory or New Hypothesis of the Universe…*, imprimé pour l'auteur, Londres, 1750

Yates, Frances A., *Giordano Bruno and the Hermetic Tradition*, University of Chicago Press, Chicago, 1964
The Art of Memory, Routledge, Londres, et Kegan Paul, New York, 1966
The Rosicrucian Enlightenment, Routledge, Londres, et Kegan Paul, New York, 1972

Zahm, John Augustine, *Sound and Music*, A. C. McClurg & Co., Chicago, 1892

Sources des illustrations

Tous les efforts ont été réalisés pour identifier et créditer les détenteurs du copyright du matériel reproduit dans ce livre. L'auteur et l'éditeur présentent leurs excuses en cas d'omission ou d'erreur. Celles-ci pourront être corrigées dans les futures éditions de l'ouvrage.

h = en haut, b = en bas, c = au centre,
g = à gauche, d = à droite

1 Pola Von Grüt, *Saturn Return*, 2019. Courtesy l'artiste ; 2 Bayerische Staatsbibliothek Munich, Cod.icon. 181, fol. 69r ; 4h *Harmonia macrocosmica sev atlas universalis et novus, totius universi creati cosmographiam generalem, et novam exhibens*, Andreas Cellarius, 1660 ; 4c *Kristallseelen*, Ernst Haeckel, Leipzig, 1917 ; 4b akg-images ; 5a Heritage Image Partnership Ltd/Alamy Stock Photo ; 5ch Rijksmuseum, Amsterdam ; 5cb *Harmonia macrocosmica sev atlas universalis et novus, totius universi creati cosmographiam generalem, et novam exhibens*, Andreas Cellarius, 1660 ; 5b Bibliothèque nationale de France ; 7 *Metamorphosis Insectorum Surinamensium*, Maria Sibylla Merian, 1705 ; 8 British Library Board. Tous droits réservés/Bridgeman Images ; 10g The Picture Art Collection/Alamy Stock Photo ; 10d *Schedelsche Weltchronik*, Hartmann Schedel, 1493 ; 11 Old World Auctions ; 12 Collection privée ; 13 British Library Board. Tous droits réservés/Bridgeman Images ; 14 The Art Institute of Chicago/Art Resource, NY/Scala, Florence. © Man Ray 2015 Trust/DACS, Londres 2022 ; 15 The J. Paul Getty Museum, Los Angeles, Ms. Ludwig XIII 5, vi, fol. 31 ; 16 CPA Media Pte Ltd/Alamy Stock Photo ; 17 Free Library of Philadelphia/Bridgeman Images ; 18 Collection d'Alexander Gorlizki ; 19 Collection d'Alexander Gorlizki ; 20 The Bodleian Libraries, University of Oxford, MS. Ashmole 1789, fol. 002v (xii) verso ; 21 Bibliothèque nationale de France ; 22 *Northern Antiquities*, M. Mallet, Bishop Percy (trad.), 1847 ; 23 Album/Alamy Stock Photo ; 24 Bibliothèque nationale de France ; 25 Bibliothèque nationale de France ; 26 © Courtesy of the Hilma af Klint Foundation – Photo: Moderna Museet-Stockholm ; 27 Heritage Image Partnership Ltd/Alamy Stock Photo ; 28 The Picture Art Collection/Alamy Stock Photo ; 29 Prahlad Bubbar, Londres ; 30 Heritage Image Partnership Ltd/Alamy Stock Photo ; 31 *Le vray et methodiqve covrs de la physique resolvtive: vvlgairement dite chymie*, Annibal Barlet, 1657. Yale University Library, New Haven, Connecticut ; 32 Courtesy Gregg Baker Asian

Art, Japanesescreens.com ; 33 Interfoto/Alamy Stock Photo ; 34 Fermilab ; 36 *Tout L'univers*, Le Livre de Paris, 1958–1975 ; 37 Collection privée ; 38 *A key to physic, and the occult sciences*, Ebenezer Sibley, 1794. Leeds University Archive ; 39 Photo J. P. Wolff ; 40 Courtesy Department of Special Collections, Stanford University Libraries. Courtesy the estate of Gyorgy Kepes ; 41 Centre Pompidou, Paris, MNAM-CCI, Dist RMN-Grand Palais ; 42 *Entdeckungen über die Theorie des Klanges*, Ernst Chladni, 1787 ; 43 *Sound and Music*, John Augustine Zahm, 1892 ; 44 © 2022 Adagp Images, Paris/SCALA, Florence. © Succession Yves Klein c/o ADAGP, Paris et DACS, Londres 2022 ; 45 *Hamonshū*, Mori Yūzan, 1903 ; 46 Cosmodernism (Kamil Czapiga), www.instagram.com/cosmodernism ; 47 Photo Bernardo Cesare (micROCKScopica) ; 48 Cosmodernism (Kamil Czapiga), www.instagram.com/cosmodernism ; 49 Smithsonian Institution Archives, Washington, DC ; 50 Courtesy Kira O'Reilly ; 51 Topfoto ; 52 Howard Lynk, Victorianmicroscopeslides.com ; 53 Eshel Ben-Jacob ; 54 California Academy of Sciences, CASG slide no. 351040, CASG slide no. 351069 ; 55 Scenics & Science/Alamy Stock Photo ; 56 Old Books Images/Alamy Stock Photo ; 57, 58 Library of Congress, Washington, DC ; 59 steeve-x-art/Alamy Stock Photo ; 60 peacay ; 61 Library of Congress, Washington, DC ; 62 Midori Shimoda, Carnival of Onions, 1930s ; 63 The Museum of Modern Art, New York/Scala, Florence. © The Easton Foundation/VAGA à ARS, NY et DACS, Londres 2022 ; 64 *Sulla fina anatomia degli organi centrali del sistema nervosa*, Camillo Golgi, 1885 ; 65 *Atlas d'embryologie*, Mathias Duval, 1889. Royal College of Physicians Edinburgh ; 66 Courtesy Legado Cajal. Instituto Cajal (CSIC), Madrid ; 67 The Museum of Modern Art, New York/Scala, Florence. © The Easton Foundation/VAGA à ARS, NY et DACS, Londres 2022 ; 68–71 Hamza Khan/Alamy Stock Photo ; 72 Joost van den Bergh Ltd ; 74 Courtesy Science History Institute, Philadelphia ; 75 *Leviathan ; or, The matter, forme, & power of a commonwealth, ecclesiasticall and civill*, Thomas Hobbes, 1651 ; 76 akg-images ; 77 Gravure au trait de T. de Bry, 1617. Wellcome Collection, Londres ; 78–79 Zentralbibliothek Zürich, Ms C 54 f28v, f29r, f41v, f42r ; 80 *Theosophia Practica*, Johann Georg Gichtel, 1723. The Getty Research Institute, Los Angeles ; 81 Joost van den Bergh Ltd ; 82 Wellcome

Collection, Londres ; 83 Houghton Library. MS Typ 229. Grilandas inventum libri VI. ; 84 British Library Board. Tous droits réservés/Bridgeman Images ; 85 Artepics/Alamy Stock Photo ; 86 Rubin Museum of Art, Don de Shelley et Donald Rubin, C2006.66.509 (HAR 977) ; 87 Bhaktapur National Museum, Nepal ; 88 *A Practical Treatise on Medical Diagnosis: For Students and Physicians*, John H. Musser, 1904 ; 89 *Psycho-Harmonial Philosophy*, Peter Pearson, 1910 ; 90 Karun Thakar Collection, Londres. Photo Desmond Brambley @desbrambley ; 91 Los Angeles County Museum of Art. Acquis grâce à l'aide de la Eli et Edy the Broad Foundation ainsi que de Jane et Terry Semel, la David Bohnett Foundation, Camilla Chandler Frost, Gayle et Edward P. Roski et la Ahmanson Foundation ; 92 *Inauguration of the Pleasure Dome*, Kenneth Anger, 1954 ; 93 Collection Musée National d'art moderne, Centre Pompidou. Donation Bruno Decharme ; 94 Yale Center for British Art, Paul Mellon Collection, New Haven, Connecticut, B1992.8.1(97) ; 95 The Picture Art Collection/Alamy Stock Photo ; 96 Art Institute of Chicago, 1944.461 ; 97 Art Institute of Chicago, 1944.462 ; 98 *An Atlas of Anatomy*, Florence Fenwick Miller, Stanford, Londres, 1879 ; 99 *The Laws of Health*, Joseph C. Hutchison, 1884 ; 100 *A guide to operations on the brain*, Alec Fraser, New York, 1890 ; 101 Wellcome Collection, Londres ; 102–103 Le Livre tibétain des proportions. Getty Research Institute, Los Angeles ; 104–105 Los Angeles County Museum of Art. Acquis grâce à l'aide de la Eli et Edy the Broad Foundation ainsi que de Jane et Terry Semel, la David Bohnett Foundation, Camilla Chandler Frost, Gayle et Edward P. Roski et la Ahmanson Foundation ; 106 Smithsonian American Art Museum/Art Resource/Scala, Florence. © DACS 2022 ; 108 *Ioannis Keppleri Harmonices Mundi Libri V*, Johannes Kepler, 1619 ; 109 © F. L. C./ADAGP, Paris et DACS, Londres 2022 ; 110 *The mineral conchology of Great Britain*, James Sowerby, 1812 ; 111 Photo NYPL. © Vladimir Nabokov, reproduit avec la permission de The Wylie Agency (UK) Limited ; 112 l'artiste © The Art Institute of Chicago. Chicago, IL. © 2022. The Art Institute of Chicago/Art Resource, NY/Scala, Florence ; 113 ullstein bild/Getty Images ; 114 Historic Illustrations/Alamy Stock Photo ; 115 Minneapolis Institute of Art, The Walter R. Bollinger Fund ; 116 *British mineralogy, or, Coloured figures intended to elucidate the mineralogy of Great Britain*, James Sowerby, 1802 ; 117 Cinoby/Getty Images ;

La Danse cosmique

118 National Gallery of Art, Washington, DC, Ailsa Mellon Bruce Fund ; 119 Photographie d'Ingrid Amslinger. Courtesy Hannsjörg Voth ; 120 The Metropolitan Museum of Art, New York, Mary Oenslager Fund, 2016 ; 121 Universitstats-Bibliothek, Heidelberg, https://digi.ub.uni-heidelberg.de/diglit/schoen1920 ; 122 David Rumsey Map Collection www.davidrumsey.com ; 123, 124 Cornell University Library ; 125 PhotoStock-Israel/Alamy Stock Photo ; 126 Camille Delbos/Art In All of Us/Corbis via Getty Images ; 127 Herzog August Bibliothek, Wolfenbüttel, 74–1–aug–2f ; 128 The Metropolitan Museum of Art/Art Resource/Scala, Florence ; 129 *The Fourth Dimension*, Charles Howard Hinton, Londres, S. Sonnenschein & Co, 1906 ; 130 Universitätsbibliothek der LMU Munich, Cim. 103 ; 131 Laurent Millet, *Somnium* (Ref 5), 2015. © Laurent Millet courtesy Catherine Edelman Gallery, Chicago ; 132 Veneranda Biblioteca Ambrosiana/Mondadori Portfolio/Bridgeman Images ; 133 Heritage Image Partnership Ltd/Alamy Stock Photo ; 134 Herzog August Bibliothek, Wolfenbüttel, 74–1–aug–2f ; 135 *Vielecke und Vielflache: Theorie und Geschichte*, Max Brückner, 1900 ; 136 M. C. Escher, *Möbius Strip I*, 1961. © 2022 The M. C. Escher Company-Pays-Bas. Tous droits réservés. www.mcescher.com ; 137 The New York Public Library ; 138 The Museum of Modern Art, New York/Scala, Florence. Courtesy The Estate of R. Buckminster Fuller ; 139 *Chromatics, or An essay on the analogy and harmony of colours*, George Field, 1817. Getty Research Institute ; 140 Raghvendra Sahai et John Trauger (JPL), l'équipe scientifique WFPC2 et NASA ; 141 © Emma Kunz Stiftung, Würenlos ; 142–143 Bibliothèque nationale de France ; 144 Courtesy George Eastman Museum ; 145 British Library Board. tous droits réservés/Bridgeman Images ; 146 The National Gallery of Denmark ; 147 Library of Congress, Washington, DC ; 148 The Metropolitan Museum of Art, New York, George Khuner Collection, Legs de Marianne Khuner, 1984 ; 149 John Mearman/Dreamstime.com ; 150 Steve Alexander/Shutterstock ; 151 Cooper Hewitt, Smithsonian Design Museum, acquis par le musée grâce à différents donateurs et le Eleanor G. Hewitt Fund ; 152 Science History Images/Alamy Stock Photo ; 153 Cooper Hewitt, Smithsonian Design Museum, Don de Gertrude W. Lewis ; 154 The Museum of Modern Art, New York/Scala, Florence. © Man Ray 2015 Trust/DACS, Londres 2022 ; 155 © Gerhard Richter 2022 (0028) ; 156 Courtesy Wolfgang Beyer ; 157 Courtesy Ayreej Kanathil ; 158 The Metropolitan Museum of Art, New York. Don de Mrs. Russell Sage, 1910 ; 159 Albers Foundation/Art Resource, NY. Photo Tim Nighswander. © The Josef and Anni Albers Foundation/Artists Rights Society (ARS), New York et

DACS, Londres 2022 ; 160 Wellcome Collection, Londres ; 161 Courtesy Cavin-Morris Gallery. © Pauline Sunfly/Copyright Agency. Avec l'autorisation de DACS 2022 ; 162 Courtesy Jean-Pierre Dalbéra, sur Flickr ; 163 Art Institute of Chicago/akg-images ; 164 The Metropolitan Museum of Art, New York, Don de Samuel P. Avery Jr., 1904 ; 166 The Cleveland Museum of Art, Don d'Eugene et Joan Savitt à la mémoire du Dr. et Mrs. E. K. Zaworski, ses grand-parents, 2006.203 ; 167 *Geheime Figuren der Rosenkreuzer*, Altona, 1785 ; 168 British Library Board. Tous droits réservés/Bridgeman Images ; 169 Rijksmuseum, Amsterdam ; 170 robertharding/Alamy Stock Photo ; 171 Bridgeman Images ; 172 Mondadori Portfolio/Electa/Sergio Anelli/Bridgeman Images ; 173h Quagga Media/Alamy Stock Photo ; 173b Courtesy Barry Lawrence Ruderman Antique Maps Inc., raremaps.com ; 174 Heritage Image Partnership Ltd/Alamy Stock Photo ; 175 Heritage Images/Getty Images ; 176–177 The Metropolitan Museum of Art, New York. Harris Brisbane Dick Fund, 1926 ; 178 Gilles Mermet/akg-images ; 179 Herbert List/Magnum Photos ; 180 Science History Images/Alamy Stock Photo ; 181, 182 Prahlad Bubbar, Londres ; 183 Los Angeles County Museum of Art. Acquis avec l'aide de Harry et Yvonne Lenart, M.91.128.1 ; 184 Collection d'Alexander Gorlizki ; 185 *Biblia Pauperum*, Petrus I, Abbot of Metten, Rabanus Maurus, Archbishop of Mainz, 1414 to 1415 ; 186 Joost van den Bergh Ltd ; 187 Wellcome Collection, Londres ; 188 The Cleveland Museum of Art. Achat et don partiel de la Catherine and Ralph Benkaim Collection ; Severance and Greta Millikin Purchase Fund 2018.201 ; 189 David Rumsey Map Collection www.davidrumsey.com ; 190 Biblioteca Civica Hortis, Trieste, Zoroaster Clavis Artis, Ms–2–27, vol. 3, p. 116 ; 191 British Library Board. Tous droits réservés/Bridgeman Images ; 192 Wellcome Collection, Londres ; 193 The Metropolitan Museum of Art, New York. Don de John D. Rockefeller Jr., 1937 ; 194 Joost van den Bergh Ltd ; 195 Wellcome Collection, Londres ; 196 Prahlad Bubbar, Londres ; 197 Yale University Library, New Haven, Connecticut ; 198 University of Wisconsin, Madison. Libraries. Department of Special Collections: Flat Shelving Duveen D 897 ; 199 *A key to physic, and the occult sciences*, Ebenezer Sibley, 1794. Leeds University Archive ; 200 Bibliothèque nationale de France ; 201 National Gallery of Art, Washington, DC. Samuel H. Kress Collection ; 202 Courtesy Vivienne Roberts ; 203 Centre Pompidou, MNAM-CCI, Dist. RMN-Grand Palais. Photo Philippe Migeat. © ADAGP, Paris et DACS, Londres 2022 ; 204–205 The J. Paul Getty Museum, Los Angeles ; 206 Rijksmuseum, Amsterdam ; 207 Library of Congress, Washington, DC ; 208 *Harmonia macrocosmica*

sev atlas universalis et novus, totius universi creati cosmographiam generalem, et novam exhibens, Andreas Cellarius, 1660 ; 210 *La Cité de Dieu* (Vol 1) d'Augustin, traduction de Raoul de Presles, v. 1475 ; 211 David Rumsey Map Collection www.davidrumsey.com ; 212 *Harmonia macrocosmica sev atlas universalis et novus, totius universi creati cosmographiam generalem, et novam exhibens*, Andreas Cellarius, 1660 ; 213 © The Royal Society ; 214 The Picture Art Collection/Alamy Stock Photo ; 215 Gravé en couleurs par J. Chapman d'après V. Denon. Wellcome Collection, Londres ; 216–217 Bibliothèque nationale de France ; 218 Joost van den Bergh Ltd ; 219 Courtesy Karla Knight et Andrew Edlin Gallery, NY ; 220 Rubin Museum of Art, C2009.9 (HAR 61200) ; 221 © 1930 Bruno Munari. Tous droits réservés Maurizio Corraini s.r.l. ; 222 Cheonsang Yeolcha Bunyajido, Seoul Museum of History, Korea ; 223 Courtesy Adler Planetarium, Chicago, Illinois ; 224 Augsburg Book of Miracles, 1552 ; 225 Bayerische Staats- bibliothek Munich, Cod.icon. 181, fol. 69r & 6r ; 226 The J. Paul Getty Museum, Los Angeles, Ms. Ludwig xv 4, fol. 148 ; 227 © Bodleian Libraries, University of Oxford, MS. Douce 134, fol. 49v ; 228–229 BSB Shelfmark: Cod.icon. 340. Library of Congress, Washington, DC ; 230–231 The Metropolitan Museum of Art, New York, Don d'Herbert N. Straus, 1925 ; 232 *Astronomiæ instauratæ mechanica*, Tychonis Brahe, 1598. The Royal Library, Copenhague ; 233 agefotostock/Alamy Stock Photo ; 234 David Rumsey Map Collection www.davidrumsey.com ; 235 *The story of the sun, moon, and stars*, Agnes Giberne, 1898. Library of Congress, Washington, DC ; 236 *An original theory or new hypothesis of the universe, founded upon the laws of nature, and solving by mathematical principles the general phænomena of the visible creation ; and particularly the via lacteal*, Thomas Wright, 1750 ; 237 David Rumsey Map Collection www.davidrumsey.com ; 238 Prisma Archivo/Alamy Stock Photo ; 239 Augsburg Book of Miracles, 1552 ; 240 Roman Sigaev/Alamy Stock Photo ; 241 Bibliothèque municipale de Bordeaux ; 242 The Picture Art Collection/Alamy Stock Photo ; 243 The Metropolitan Museum of Art, New York, The Elisha Whittelsey Collection, The Elisha Whittelsey Fund, 1960 ; 244 Library of Congress, Washington, DC ; 245 *Milton's Paradise Lost*, John Milton, Homer B. Sprague, Boston, 1879 ; 246 David Rumsey Map Collection www.davidrumsey.com ; 247 *The Beauty of the Heavens*, Charles F. Blunt, Londres, 1842 ; 248 Chicago and the Midwest (Newberry Library). Rand McNally and Company records ; 249 Field Museum Library/Getty Images.

Sources des citations

INTRODUCTION

9   Cité dans Derek et Julia Parker, *Parkers' Encyclopedia of Astrology*, Watkins Publishing, Londres, 2012

13 Hildegard von Bingen, *Meditations with Hildegard of Bingen*, éd. Gabriele Uhlien, Bear & Company, Rochester, VT, 1983, p. 41

15 *Pensées de Marc Aurèle*, livre 4, J. Barthélémy-Saint-Hilaire (trad.), Paris, 1876

27 John Milton, *Le Paradis perdu*, livre IX, R. Ellrodt (dir.), F.-R. de Chateaubriand (trad.), Gallimard, Paris, 1995

31 Thomas Taherne, *Centuries of Meditations*, Bertram Dobell (éd.), Dobell, Londres, 1908

33 Yamaguchi Sodo, *Haiku*, vol. 2, Hokuseiko, Tokyo, 1950, p. 34 ; The Haiku Foundation, www.thehaikufoundation.org

CHAPITRE 1

35 William Blake, *Augures d'innocence*, 1863, Pierre Boutang (trad.), https://poussiere-virtuelle.com/auguries-innocence-augures-poeme-william-blake/

40 Nathaniel Hawthorn, *La Maison aux sept pignons*, Hachette, Paris, 1876

45 William Heyen, *The Swastika Poems*, Vanguard Press, New York, 1977

47 Annie Dillard, *Une enfance américaine*, Bourgois, Paris, 1990

50 Percy Bysshe Shelley ; The Poetry Foundation, www.poetryfoundation.org

55 Charles Darwin, *De la variation des animaux et des plantes sous l'action de la domestication*, t. 2, C. Reinwald, Paris, 1868, p. 431

59 Hugo, *Les Misérables*, Gallimard, Paris, 2018, livre 3, ch. 3

61 Matsuo Bashō, *Cent Cinq Haïkaï*, vol. 1, p. 267

65 Victor Hugo, *Les Misérables*, livre 3, ch. 3

68 Léonard de Vinci, *Carnets*, Gallimard, Paris, 2019

71 Rudolf Arnheim, *Parables of Sun Light*, University of California Press, Berkeley, 1989, p. 160

CHAPITRE 2

73 Cité dans R. C. Zaehner, *Zurvan: A Zoroastrian Dilemma*, Biblio & Tannen, New York, 1972, p. 145

82 de Vinci, *Carnets*

91 Fritjof Capra, *Le Tao de la physique*, J'ai lu, Paris, 2018

93 Blaise Pascal, *Pensées*, Léon Brunschvicg Éditeur, Paris, 1897

96 William Harvey, *La Circulation du sang : des mouvements du cœur chez l'homme et chez les animaux*, Masson, Paris, 1879

102 Cité dans Alma E. Cavazos-Gaither et Carl C. Gaither (éds), *Gaither's Dictionary of Scientific Quotations*, Springer, New York, 2012, p. 104

104 Kumalau Tawali, « The Old Woman's Message », *Signs in the Sky*, Papua Pocket Poets, Port Moresby, 1970

CHAPITRE 3

107 Cité dans Christopher B. Kaiser, *Creational Theology and the History of Physical Science*, Brill, Leiden, 1997, p. 168

110 Vladimir Nabokov, « Butterflies: On Life as a Lepidopterist », *The New Yorker*, 12 juin 1948 ; www.newyorker.com

112 Cité dans Britta Benke, *Georgia O'Keefe 1887-1986: Flowers in the Desert*, Taschen, Cologne, 2003, p. 57

115 Ex-libris armorial pour Erasmus Darwin (1771), British Museum, Londres

116 George Cuvier, *Discours sur les révolutions de la surface du globe et sur les changements qu'elles ont produits dans le règne animal*, H. Cousin, Paris, 1840

121 Nikola Tesla, « The Problem of Increasing Human Energy », *The Century Magazine*, juin 1900, p. 175–211

125 Jorge Luis Borges, « Le jardin aux sentiers qui bifurquent », *Fictions*, Gallimard, Paris, 2018

128 Cité dans George Webster, « The little cube that changed the world », *CNN*, 11 octobre 2012 ; www.edition.cnn.com

130 Cité dans Stephanie Frank Singer, *Symmetry in Mechanics: A Gentle, Modern Introduction*, Birkhäuser, Boston, 2004, p. 6

133 Cité dans Philippe Sers, *Kandinsky, philosophie de l'art abstrait*, Skira, Paris, 2003, p. 129-130

134 Ralph Waldo Emerson, *Notes de bois*, 1841, www.babelio.com/livres/Emerson-Emerson-Poems/1281940

138 Buckminster Fuller, Jerome Agel et Quentin Fiore, *I Seem to Be a Verb*, Gingko Press Inc., Berkeley, 2015

140 Cité dans Ivy Bedworth, *Rationalising the Bible*, vol. 1, Bedworth, Howick, SA, 2016, p. 55

144 Zach Mortice, « Sun, Soil, Spirit: The Architecture of Mario Botta », *American Institute of Architects*, 2008, www.info.aia.org

146 Robert Frost ; The Poetry Foundation, www.poetryfoundation.org

149 John Milton, « At a Vacation Exercise in the College », *The Complete Poems*, vol. 4, éd. Charles W. Eliot, P. F. Collier & Son, New York, 1909–1914 ; Bartleby, www.bartleby.com

152 Katherine Mansfield, lettre à Dorothy Brett, juillet 1921, *Lettres*, Stock, 1993

154 Guy Murchie, *The Seven Mysteries of Life: An Exploration in Science & Philosophy*, Houghton Mifflin Harcourt, New York, 1999, p. 58

158 Cité dans Barbara Teller Ornelas et Lynda Teller Pete, « Spider Woman's Children: The next generation of Navajo weavers », *Garland Magazine*, 5 décembre 2019, www.garlandmag.com

161 Cité dans Diana James « *Tjukurpa* Time », 2005, *Long History, Deep Time: Deepening Histories of Place*, éds Ann McGrath et Mary Anne Jebb, Anu Press, Canberra, 2015, p. 33

CHAPITRE 4

165 Zain Hashmi, *A Blessed Olive Tree: A Spiritual Journey in Twenty Short Stories*, Create Space, 2017

168 Milton, *Le Paradis perdu*, livre IV

173 Isaac Watts, Psaume 68, pt 2,

175 La Bible, Évangile selon saint Matthieu 25:41, https://www.aelf.org/bible/Mt/25

176 Milton, *Le Paradis perdu*, livre I

179 Homère, *L'Iliade*, C.-R.-M. Leconte de l'Isle (trad.), livre 11, l. 36

185 Kalidasa, *Translations of Shakuntala, and Other Works*, Prabhat Prakashan, New Delhi, 1914

186 Friedrich Nietzsche, *Ainsi parlait Zarathoustra*, H. Albert (trad.), Mercure de France, Paris, 1898

188 « Divisions of Naraka », *The Vishnu Purana*, 1840

192 Cité dans Odell Shepard, *The Lore of the Unicorn*, George Allen & Unwin, Londres, 1930

195 Emerson, *Notes de bois*

196 Philippe de Thaon, *Le Bestiaire*, H. Welter, Paris, 1900

203 Hildegard von Bingen, *La Symphonie des harmonies célestes*, R. Lenoir et C. Carraud (trad.), Jérôme Millon, Grenoble, 2003

205 Platon, « Allégorie de la caverne », *La République*, livre VII, http://remacle.org/bloodwolf/philosophes/platon/rep7.htm

CHAPITRE 5

209 Walt Whitman, *Feuilles d'herbes*, Jacques Darras (trad.), Gallimard, Paris, 2002

212 Hugo, *Les Misérables*, vol. 3, livre 3, ch. 3

216 Cité dans Jean-Pierre Lasota (éd.), *Astronomy at the Frontiers of Science*, Springer, Pays-Bas, 2011, p. 291

218 Ralph Waldo Emerson, *Ralph Waldo Emerson: The Major Poetry*, éd. Albert J. von Frank, The Belknap Press, Cambridge, MA, 2015, p. 188

223 Plotin, *Deuxième Ennéade*, Hachette, Paris, 1857

224 Nietzsche, *Ainsi parlait Zarathoustra*

227 Cité dans Marco Piccolino et Nicholas J. Wade, *Galileo's Visions: Piercing the Spheres of the Heavens by Eye and Mind*, Oxford University Press, Oxford, 2014, p. 52

228 Milton, *Le Paradis perdu*, livre VII

233 Cité dans Nancy Atkinson, « Rosetta Mettes Astroid Lutetia », *Universe Today*, 12 juillet 2010, www.universetoday.com

235 John Keats, *Poèmes et poésies*, P. Gallimard (trad.), Mercure de France, Paris, 1910

237 Giordano Bruno, *De l'infini, de l'univers et des mondes*, Les Belles Lettres, 1985

238 Philippe Jaccottet, *L'encre serait de l'ombre*, Gallimard, Paris, 2011

240 Omar Khayyâm, *Robâiyât (Quatrains)*, Actes Sud, Arles, 2008

242 Cité dans *Champs populaires du Nord*, X. Marmie (éd. et trad.), Charpentier, Paris, 1842

247 Cité dans Douglas Botting, *Gerald Durrell: An Authorized Biography*, HarperCollins, Londres, 2000, p. xvii

248 Tesla, « The Problem of Increasing Human Energy »

Index

Remerciements

« *Une Immensité, en Voisine, vint,*
Une Sagesse, sans Visage, ou Nom,
Une Paix, comme des Hémisphères
à la Maison
Et ainsi arriva la Nuit. »

Emily Dickinson, « Les Griillons chantaient » (1104), v. 1866

Ce livre est dédié à Jackie, une étoile d'une grande constance
en cette période de chaos, d'obscurité et de troubles.

Je tiens à remercier Jane Laing, Phoebe Lindsley, Florence
Allard, Tristan de Lancey et tous ceux qui, chez Thames and
Hudson, ont participé à la réalisation de ce projet qui est si
cher à mon cœur. Je suis incroyablement reconnaissant à
chacun d'entre vous pour vos contributions, vos conseils et
vos encouragements, ainsi que pour votre patience et votre
soutien pendant ces périodes de turbulence.

Je tiens également à exprimer ma profonde gratitude aux
artistes, galeries, musées, institutions et successions qui nous
ont si généreusement autorisés à présenter leurs œuvres.
Ce livre n'existerait pas sans eux.

À PROPOS DE L'AUTEUR

Véritable alchimiste de l'image, Stephen Ellcock est curateur,
écrivain, chercheur et collectionneur en ligne d'images. Basé
à Londres, il a passé les dix dernières années à créer un musée
virtuel d'art ouvert à tous via les réseaux sociaux. Son projet de
« Cabinet de curiosités » ultime sur les réseaux sociaux a attiré
jusqu'à présent plus de 600 000 followers à travers le monde.

Il est également l'auteur de *All Good Things*, *The Book of*
Change, *England On Fire* – avec un texte de Mat Osman – et
Jeux de mains, en collaboration avec Cécile Poimboeuf-Koizumi.

EN COUVERTURE : *Figures de Lichtenberg: A. R. von*
Hippel, Gyorgy Kepes, 1951. Courtesy of the Department
of Special Collections, Stanford University Libraries.
Courtesy the estate of Gyorgy Kepes.

EN QUATRIÈME DE COUVERTURE & PAGE 2 : Illustrations
extraites de *Eclipses luminarium*, Cyprian Leowitz, 1555.
Bayerische Staatsbibliothek Munich, Cod.icon. 181,
fol.69r & 6r.

DOS & PAGES DE GARDE Papier marbré appartenant à la
collection de Richard Sheaff.

PAGE 1 *Saturn Return*, Pola Von Grüt, 2019.

L'édition originale de cet ouvrage a paru sous le titre
The Cosmic Dance chez Thames & Hudson Ltd, Londres.

The Cosmic Dance © 2022 Thames & Hudson Ltd,
Londres

Texte © 2022 Stephen Ellcock

Traduction française
© 2022 Thames & Hudson Ltd, Londres
Traduit de l'anglais par Gilles Berton
Relecture par Anne Levine

Crédits photographiques, voir p. 251

Conception graphique : Daniel Streat, Visual Fields

Cet ouvrage a été reproduit et achevé d'imprimer
en juin 2023 par l'imprimerie C&C Offset Printing
Co. Ltd pour Thames & Hudson.
1ère réimpression

Dépôt légal : 3e trimestre 2022
ISBN 978-0-500-02572-7
Imprimé en Chine

MIXTE
Papier | Pour une gestion
forestière responsable
FSC® C008047